当代书法名家◎中国书法家协会草书专业委员会专辑

魏哲

海风出版社
HAIFENG PUBLISHING HOUSE

图书在版编目（CIP）数据

魏哲专辑/魏哲书.—福州:海风出版社，2008.11
（当代书法名家.中国书法家协会草书专业委员会专辑;21/胡国贤，李木教主编）
ISBN 978-7-80597-829-1

Ⅰ.魏… Ⅱ.魏… Ⅲ.草书—书法—作品集—中国—现代 Ⅳ.J292.28

中国版本图书馆CIP数据核字（2008）第177058号

当　代　书　法　名　家
中国书法家协会草书专业委员会专辑
魏　哲　专辑

策　　划：焦红辉
主　　编：胡国贤　李木教
责任编辑：叶家佺　叶浩鹏　吴德才
装帧设计：叶浩鹏
责任印制：傅　强　吴尚联

出版发行：海风出版社
(福州市鼓东路187号　邮编:350001)
出 版 人：焦红辉
印　　刷：福州青盟印刷有限公司
开　　本：889×1194毫米　1/16
印　　张：4印张
版　　次：2008年11月 第1版
印　　次：2009年3月 第1次印刷
书　　号：ISBN 978-7-80597-829-1/J · 177
定　　价：798.00元 (全套21册)

魏 哲　笔名老铁，别署铁马研斋，荷砚斋。祖籍辽宁盖县，1950年5月生于哈尔滨市。中国书法家协会理事，评审委员、草书专业委员会委员。中国书协书法培训中心教授。辽宁省书协副主席兼创作委员会主任。辽宁省文联委员。

作品数十次入选大型国家级展览，获第六届全国书法篆刻展『全国奖』、首届全国扇面书法展『一等奖』。其作品被故宫博物院、中国美术馆、中南海、中国革命军事博物馆、广东美术馆等单位收藏。出版有《魏哲速写集》。

序

两个多月前，经李木教委员搭桥，由海风出版社出版《当代书法名家》丛书，第一辑为中国书法家协会草书专业委员会专辑，每个委员一卷，既能反映每位书家个人的艺术风采，又能体现草书委员会的整体实力、整体风貌，还能彰显当代草书创作的一些境况和情势，一举多得，令人兴奋。

草书专业委员会成立于2006年，是中国书法家协会下设的几个专业委员会之一，职责是专事草书方面的研究、创作等。共有委员二十一人（原二十二人，副主任周永健先生今年五月因病故去）。年龄最大者六十几岁，最小者三十几岁，都是活跃在当今书坛的实力派书家。

这二十位书家，每个人都在草书上卓有建树，功力既深，格调亦高，个性风格鲜明而强烈。他们都以传统为师，在传统中孜孜以求，精益求精。并在此基础上，广涉博取，锐意开拓，大胆突破，开辟新境界。因而他们的作品无论气象还是内涵上，都很耐人寻味，颇富艺术感染力。

海风出版社将这么多书家和他们的作品结集出版，诚是一着高棋，定会令人一饱眼福，并从中获得一些有益的启示。

本人作为草书委员会的一员，能和诸书友一道共同参与这个盛事，深感荣幸。借本书出版之际，谨向海风出版社表示诚挚的谢意。希望本书能受到欢迎。也诚望能得到批评指正，以期有更大的长进，不辜负书友和同道们的厚望。

聂成文

二〇〇八年八月八日

目录

◎条幅 草书 王昌龄诗二首……2
◎草书 高骈诗……3
◎草书 节录《书谱》……4
◎扇面 王维诗……6
◎草书 毛泽东诗……8
◎条幅 草书 王昌龄诗……9
◎扇面 瞿秋白、李峤诗……10
◎草书 节录《书谱》……12
◎扇面 贺知章诗……14
◎扇面 王维诗二首……15
◎扇面 王维、孟浩然诗……16
◎扇面 王建诗……17
◎草书 韩愈诗……18
◎扇面 毛泽东词……20
◎扇面 临董其昌跋《蜀素帖》……21
◎扇面 朱德诗……22
◎扇面 临苏轼、米芾手札……23
◎横幅 临苏轼手札……24
◎草书 《千字文》……26
◎行书 天海来鸿……30
◎扇面 李白诗……32
◎扇面 张敬忠诗一首……33
◎条幅 草书王涯诗……34
◎草书 王维诗二首……35
◎横幅 傅山诗……36
◎条幅 姚合诗……38
◎条幅 崔护诗……39
◎扇面 郁达夫、景云诗……40
◎扇面 刘禹锡、庾肩吾诗……41
◎小品 草书……42
◎条幅 唐诗……43
◎扇面 草书……44
◎扇面 草书……45
◎草书 汪遵诗……46
◎条幅 行草……47
◎扇面 武元衡酬王十八招诗……48
◎扇面 唐诗……50
◎扇面 草书……51
◎斗方 草书节录《书谱》……52

作品

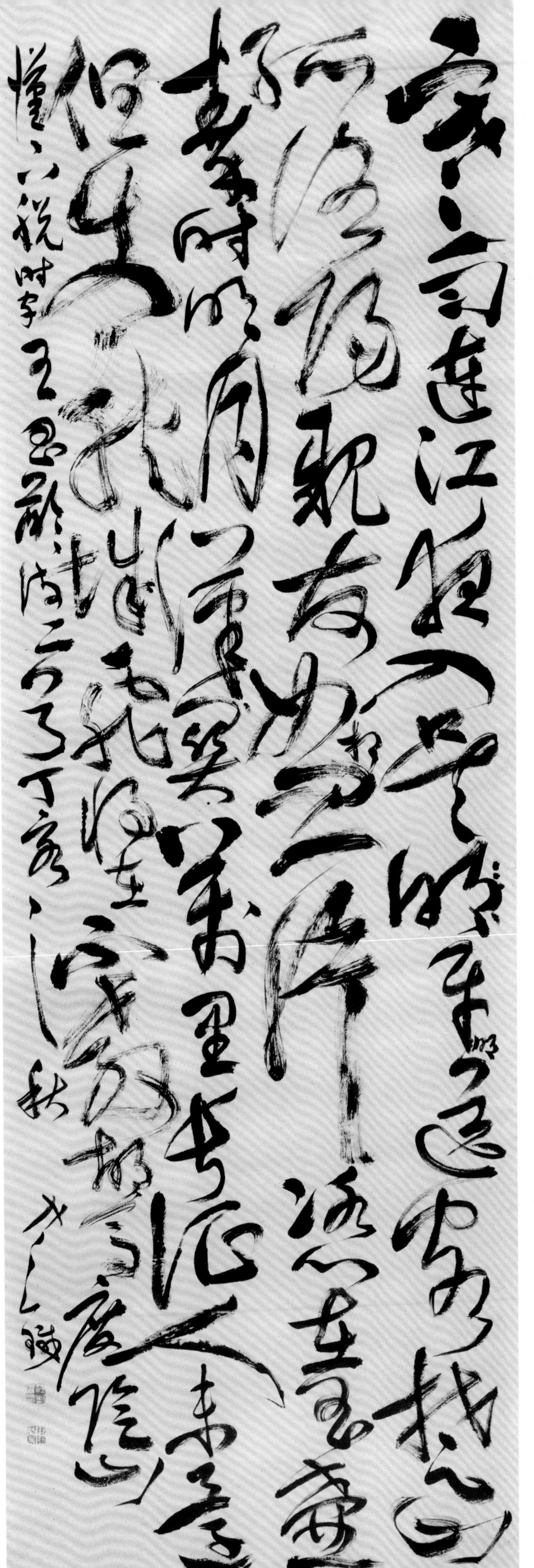

寒雨连江夜入吴，平明送客楚山孤。洛阳亲友如相问，一片冰心在玉壶。秦时明月汉（时）关，万里长征人未还。但使龙城飞将在，不教胡马度阴山。

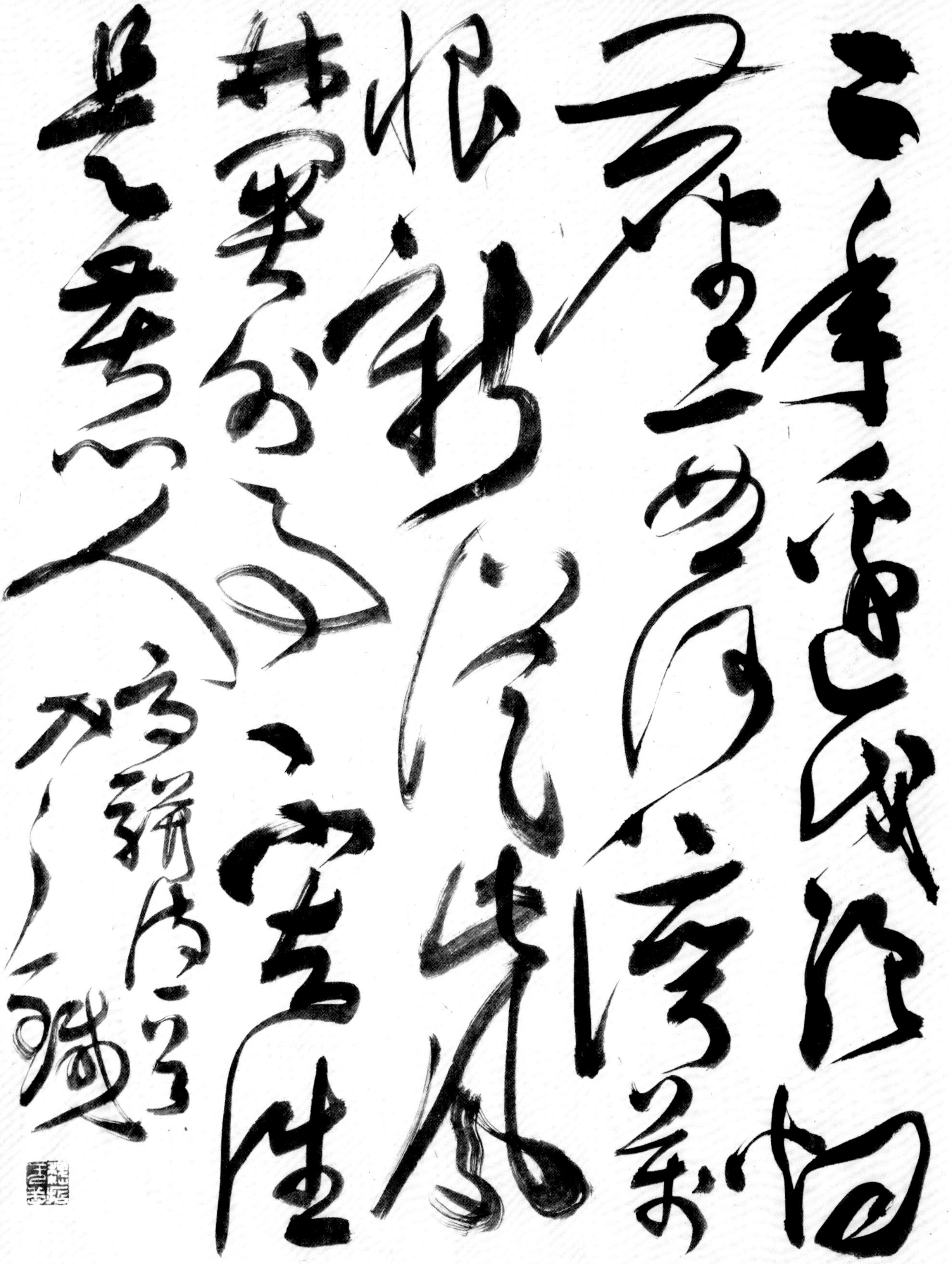

二年边戍绝烟尘，一曲河湾万恨新。
从此凤林关外事，不知谁是苦心人。

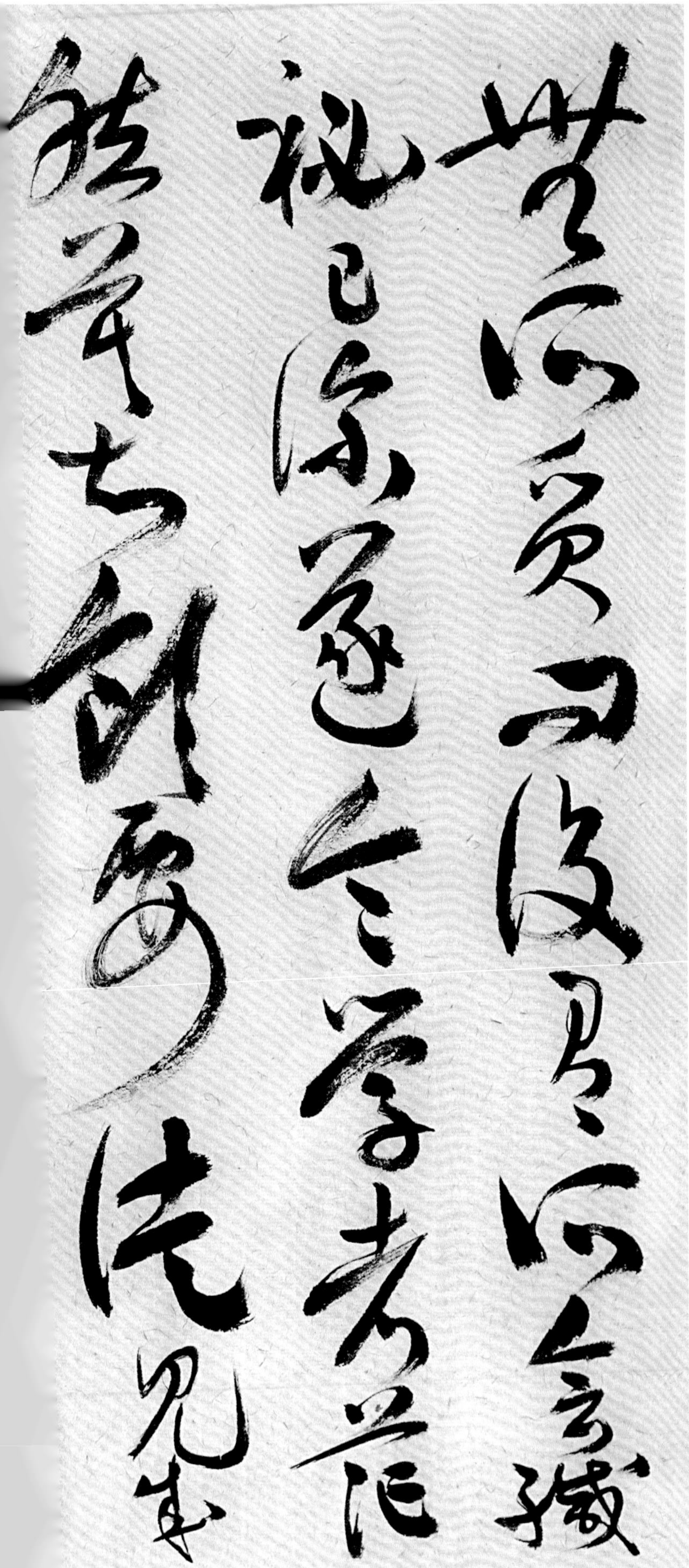

无所质问；设有所会，缄秘已深。遂令学者茫然，莫知领要，徒见成功之美，不悟所致之由。或乃就分布于累年，向规矩而犹远，图真不悟，习草将迷。假令薄解……

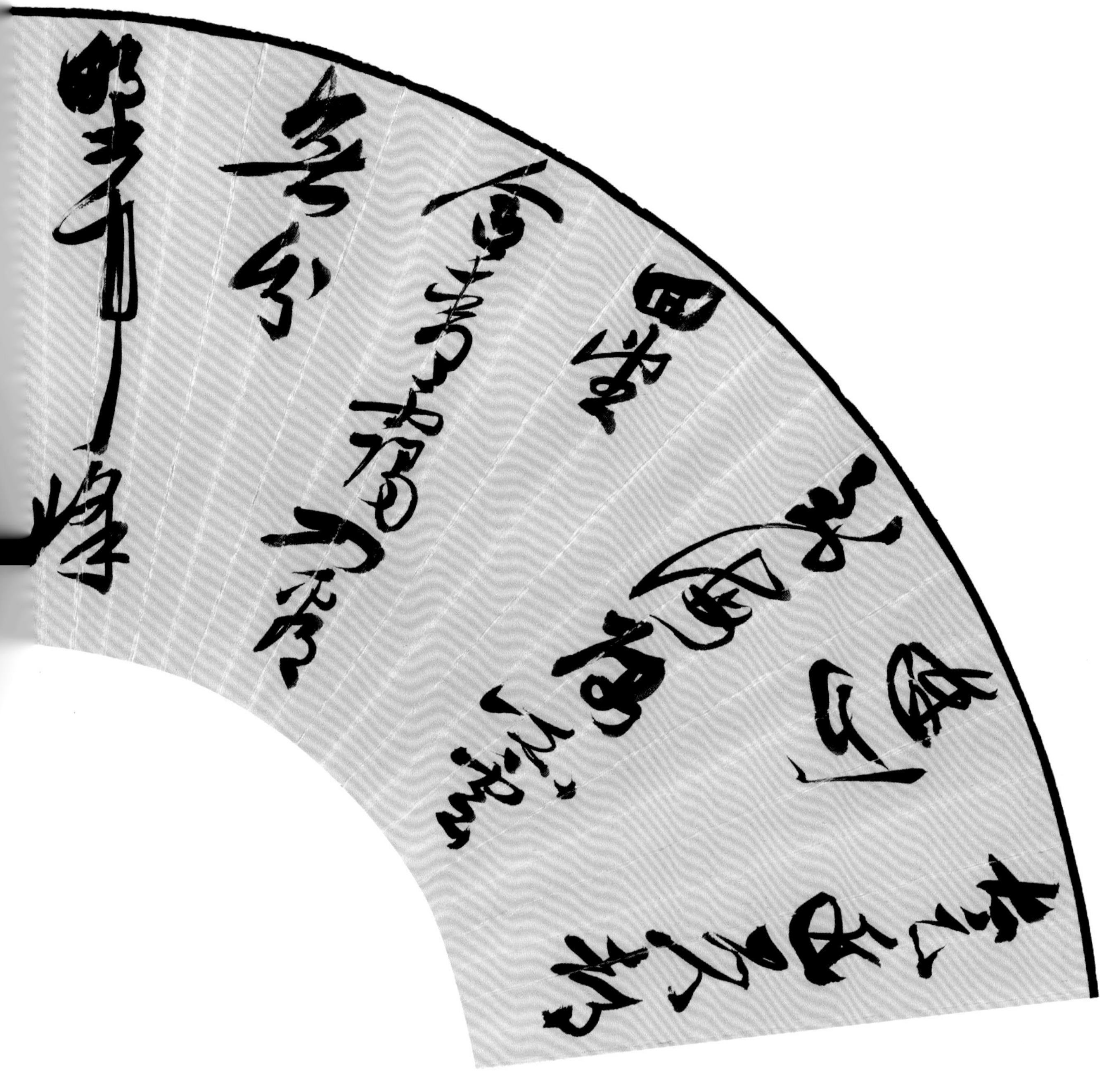

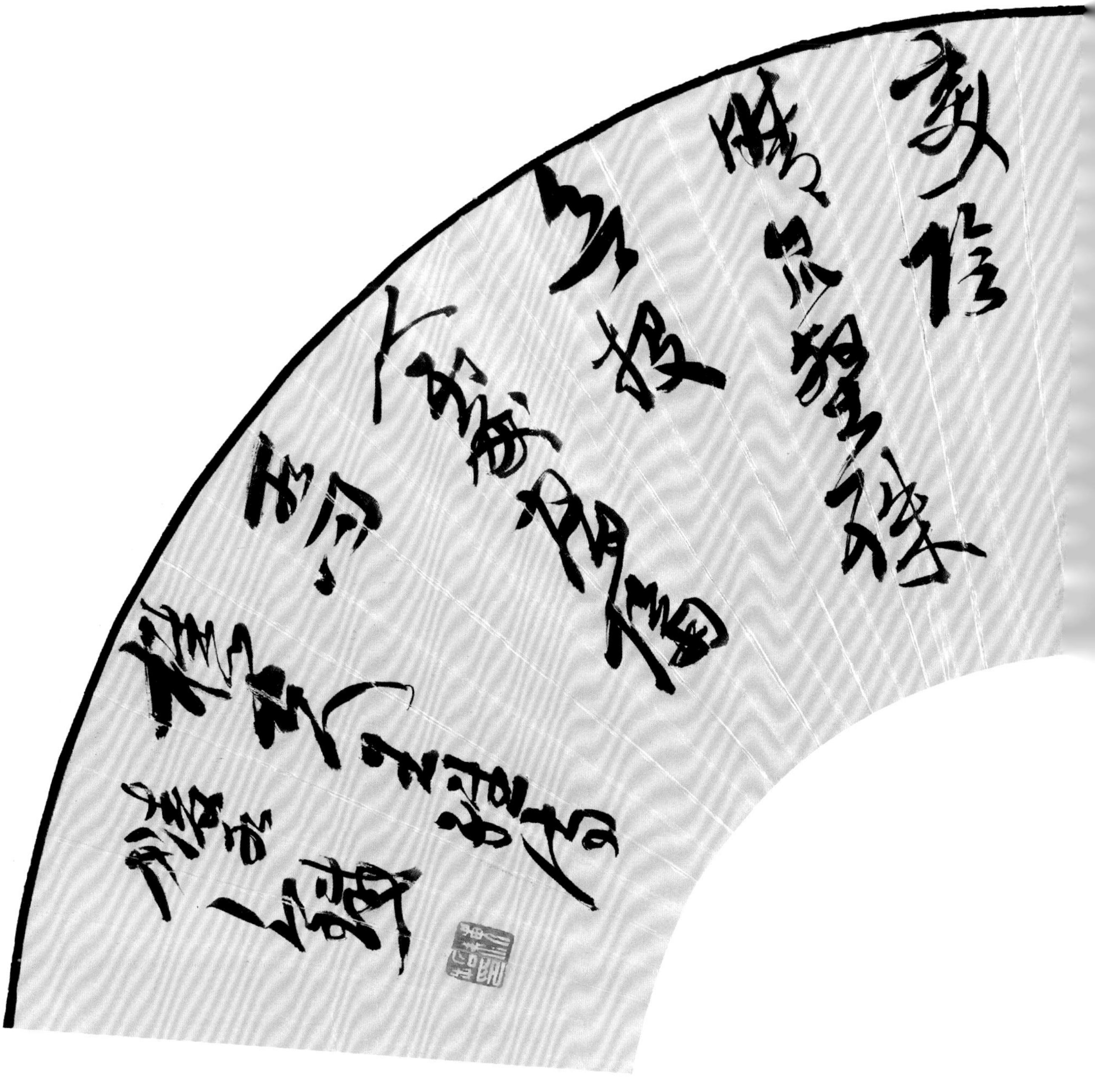

太乙近天都，连山到海隅。
白云回望合，青霭入看无。
分野中峰变，阴晴众壑殊。
欲投人处宿，隔水问樵夫。

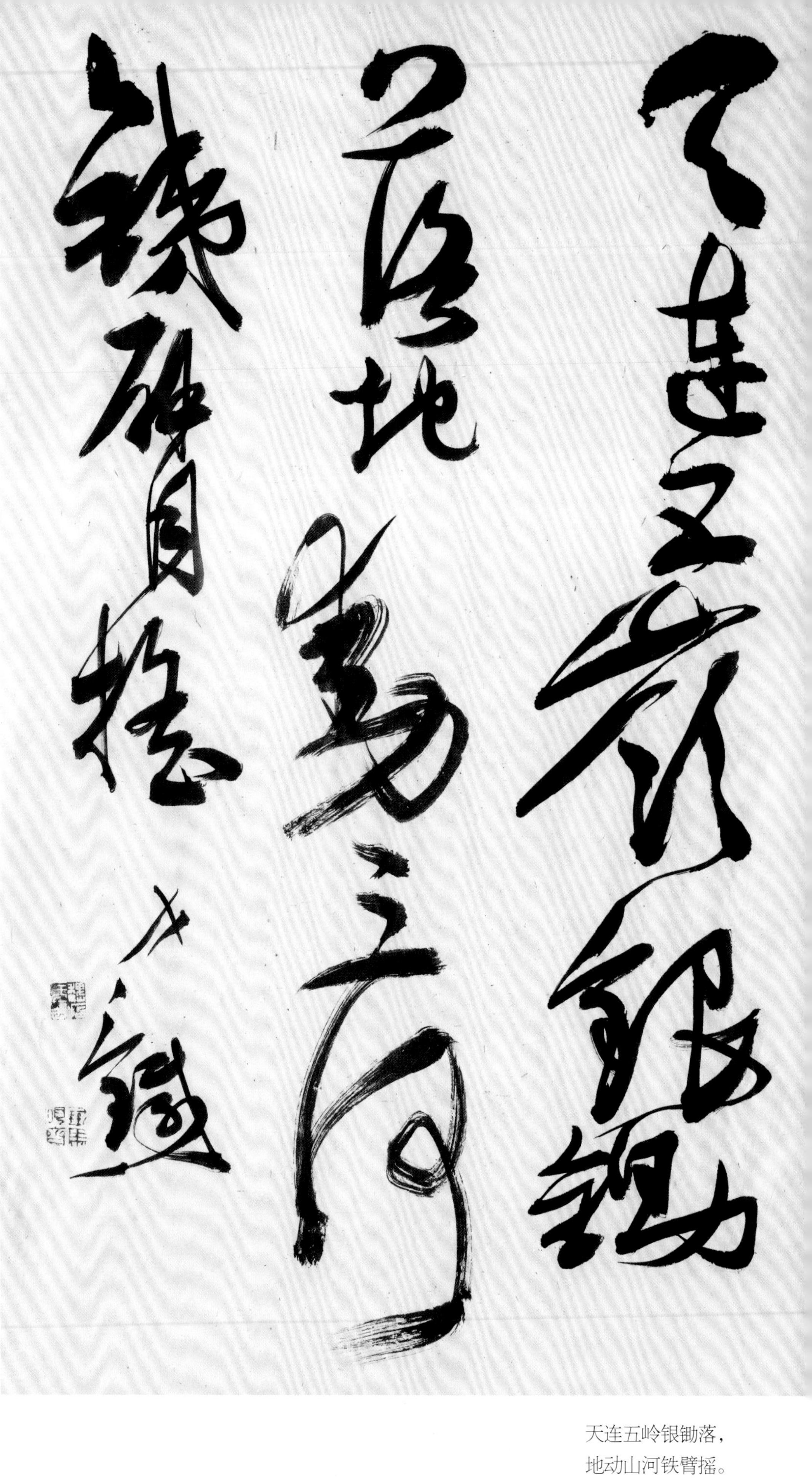

天连五岭银锄落，
地动山河铁臂摇。

秦时明月汉时关，万里长征人未还。
但使龙城飞将在，不教胡马度阴山。

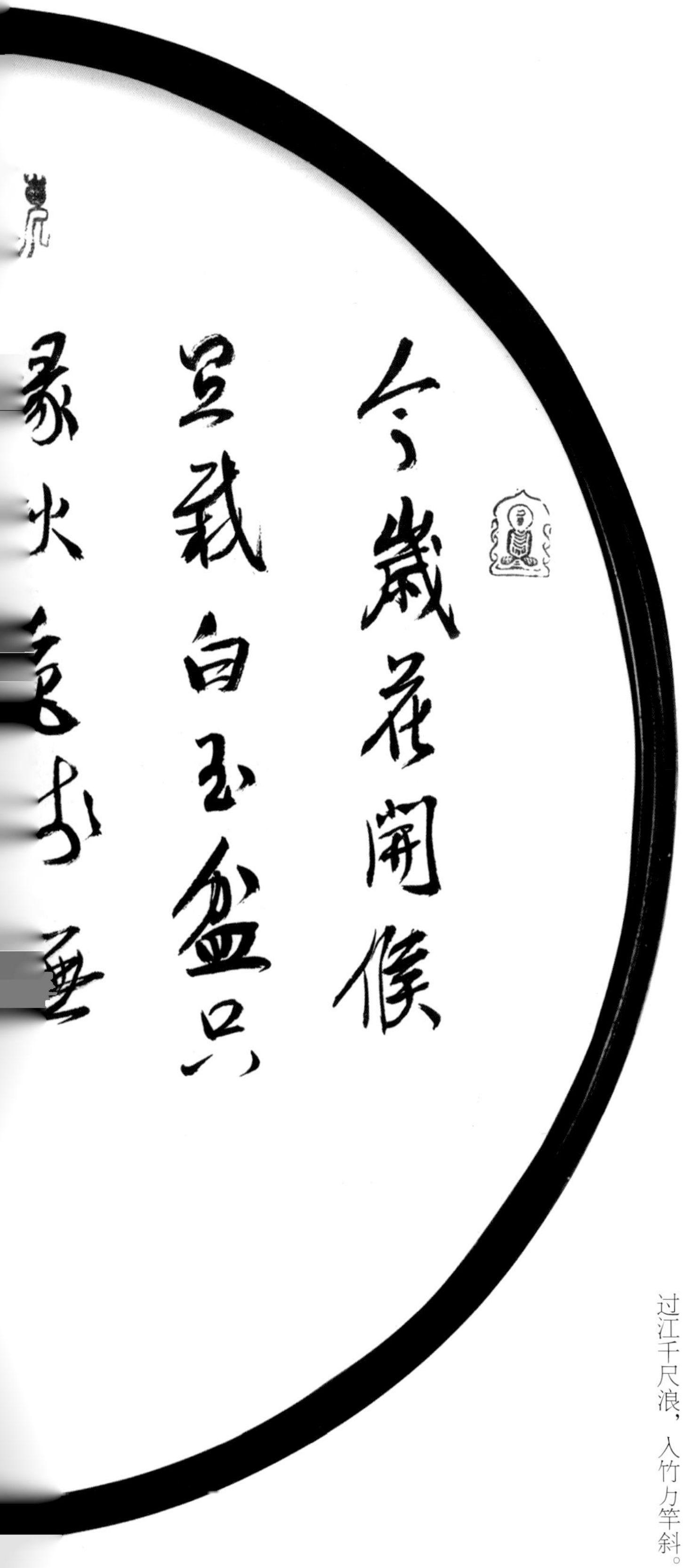

今岁花开候（盛），宜栽白玉盆。
只缘秋色浅（淡），无处觅霜痕。

解落三秋叶，能开二月花。
过江千尺浪，入竹万竿斜。

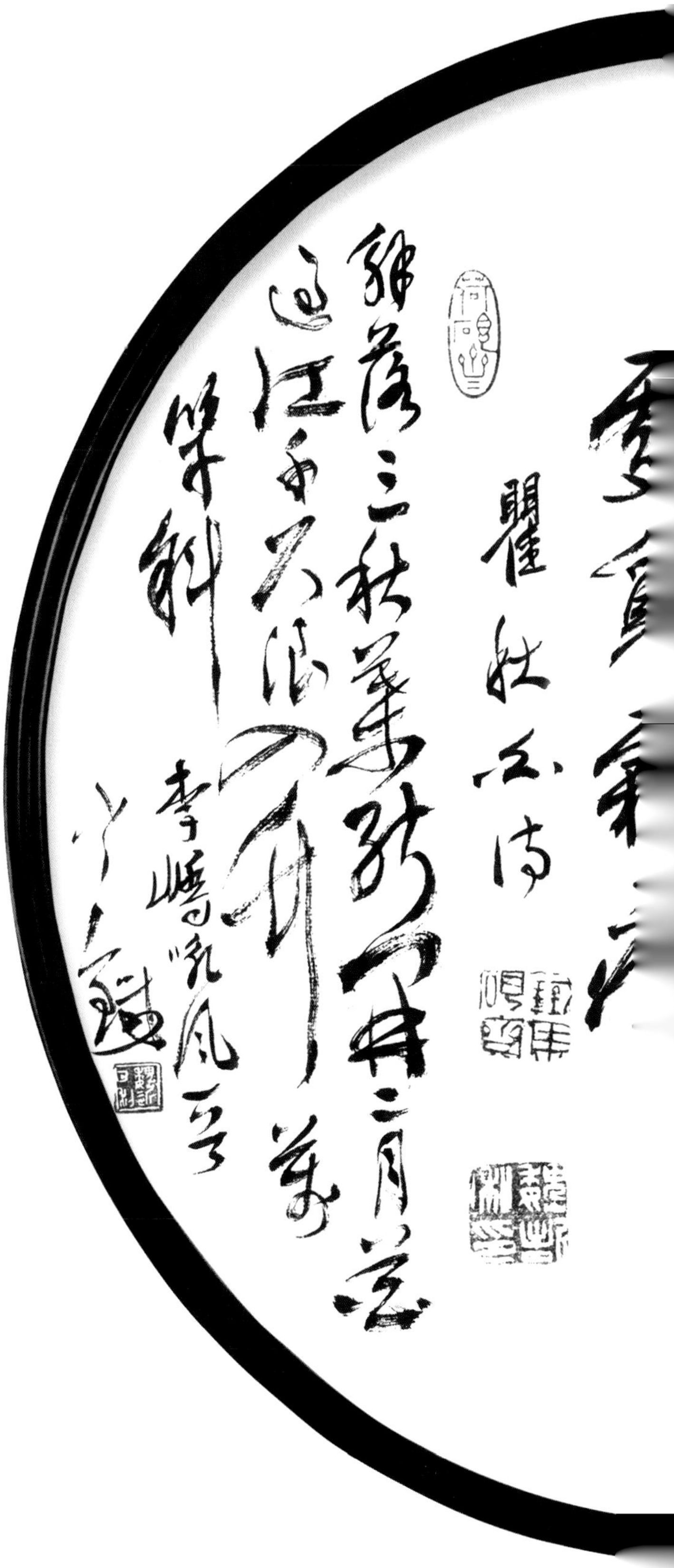

伯子之魚涉波著色
由年七十慕以覽雲
賞好洎不已而劇
志以五十去談生精通
故不帶杜竹
目也向者書去
譽之膚郭聲至五好
署惡之仗穆代淺
之五於君風何明
之入未了乃來一之遇

其旦化雲
時稱為表狄以
不可
焉以宅不國武
代千翻被召賞
芬見光嘯向
中武牟樹
高雅致陵背年乃
俗之孫標之古
因曰女觀

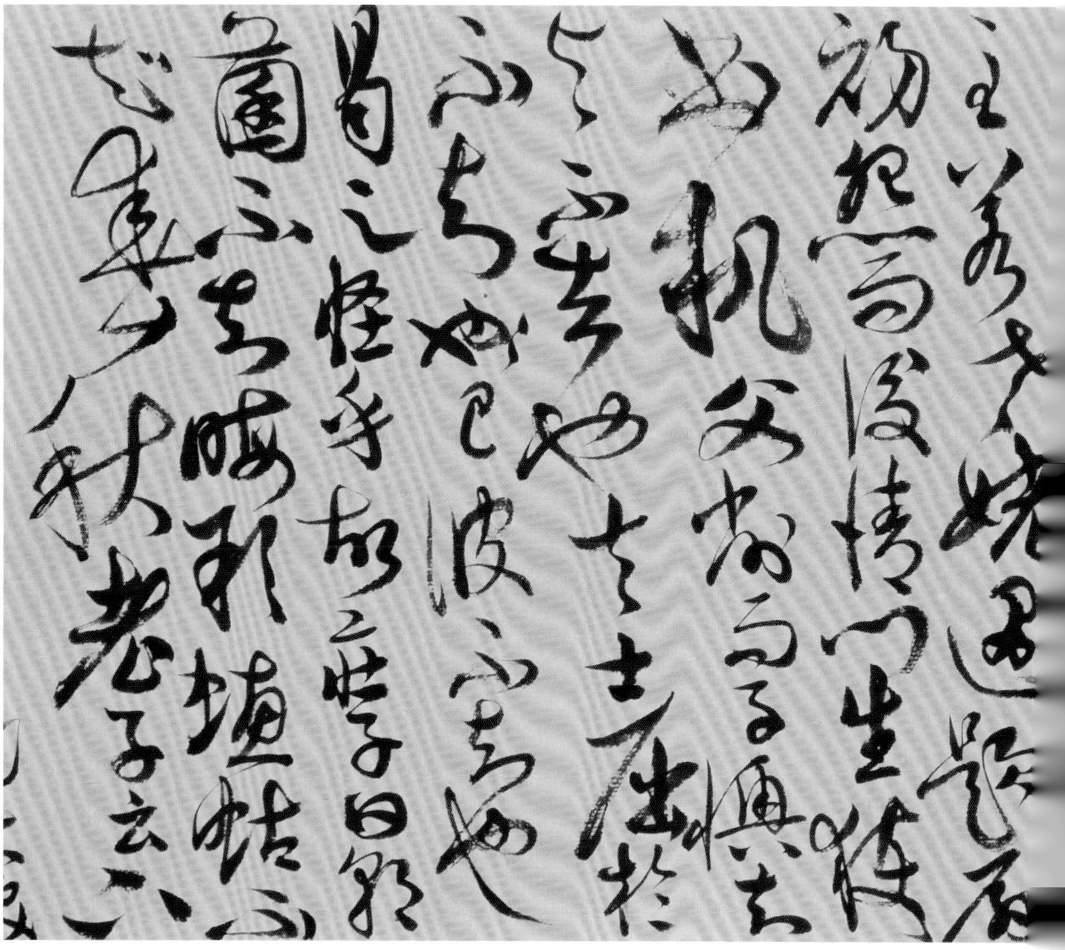

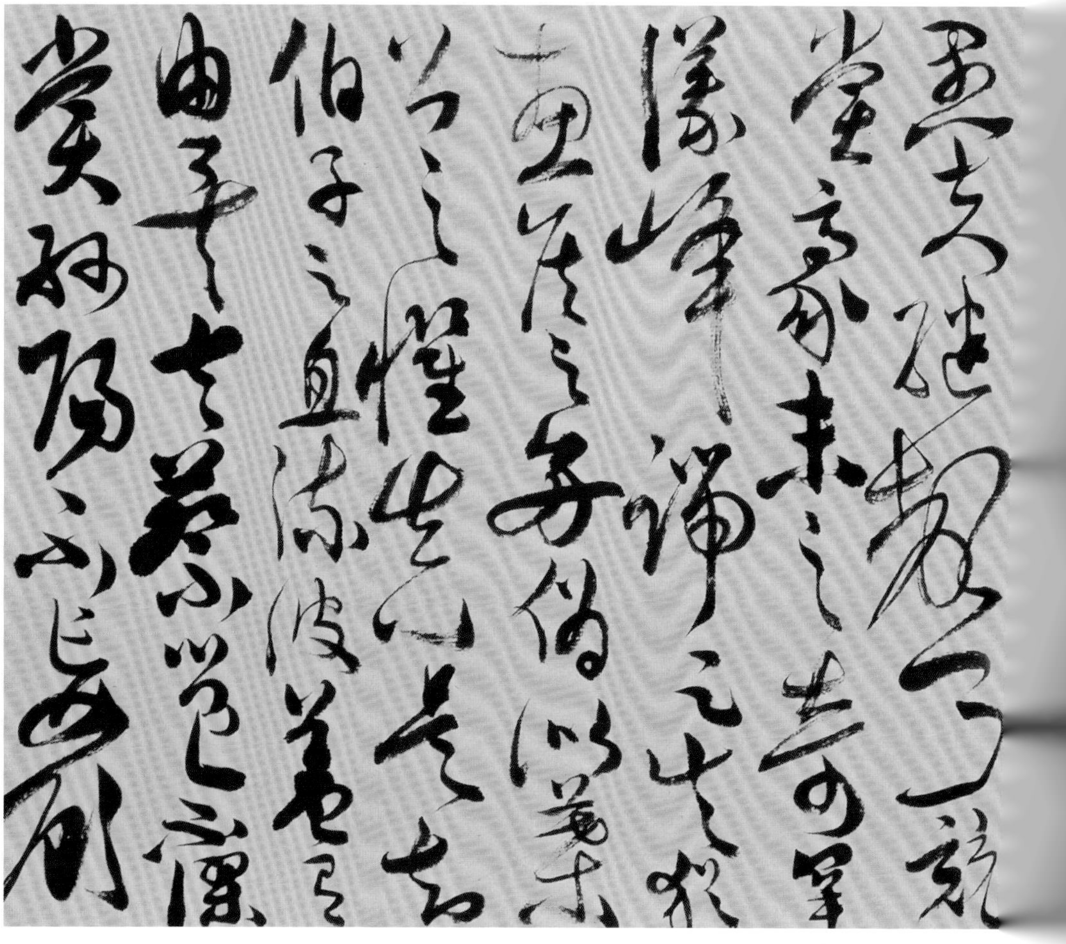

节临《书谱》局部

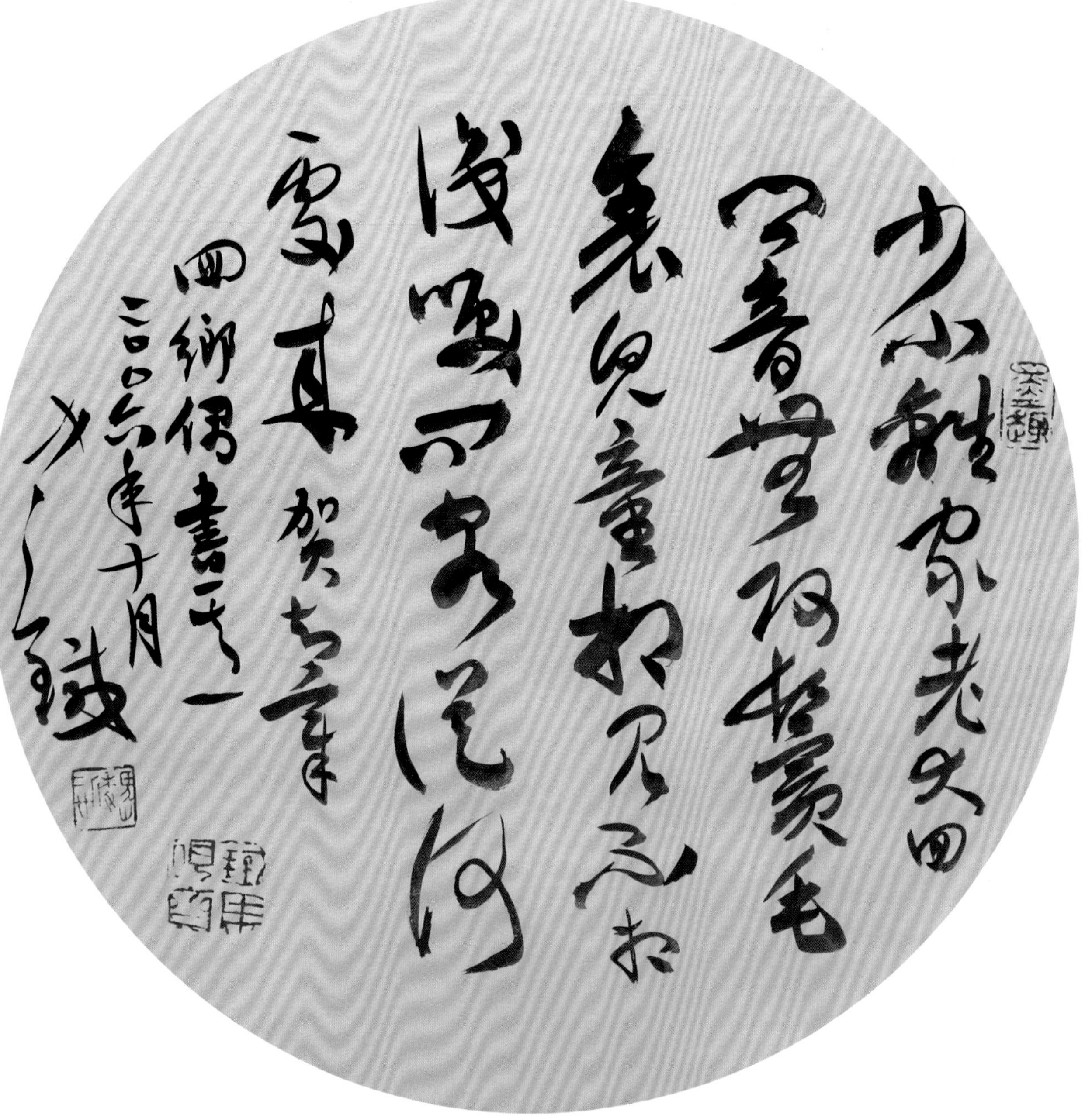

少小离家老大回，乡音无改鬓毛衰。
儿童相见不相识，笑问客从何处来。

空山新雨后，天气晚来秋。明月松间照，清泉石上流。竹喧归浣女，莲动下渔舟。随意春芳歇，王孙自可留。

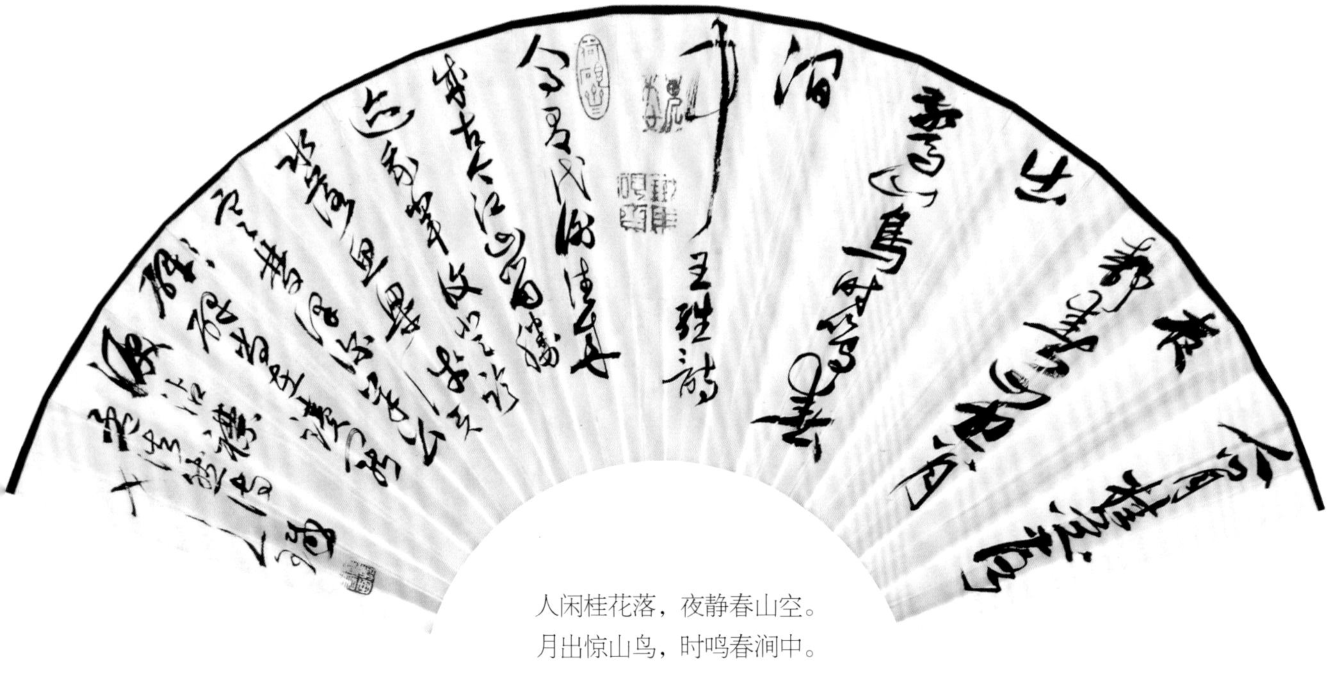

人闲桂花落，夜静春山空。
月出惊山鸟，时鸣春涧中。

人事有代谢，往来成古今。
江山留胜迹，我辈复登临。
水落鱼梁浅，天寒梦泽深。
羊公碑尚在，读罢泪沾襟。

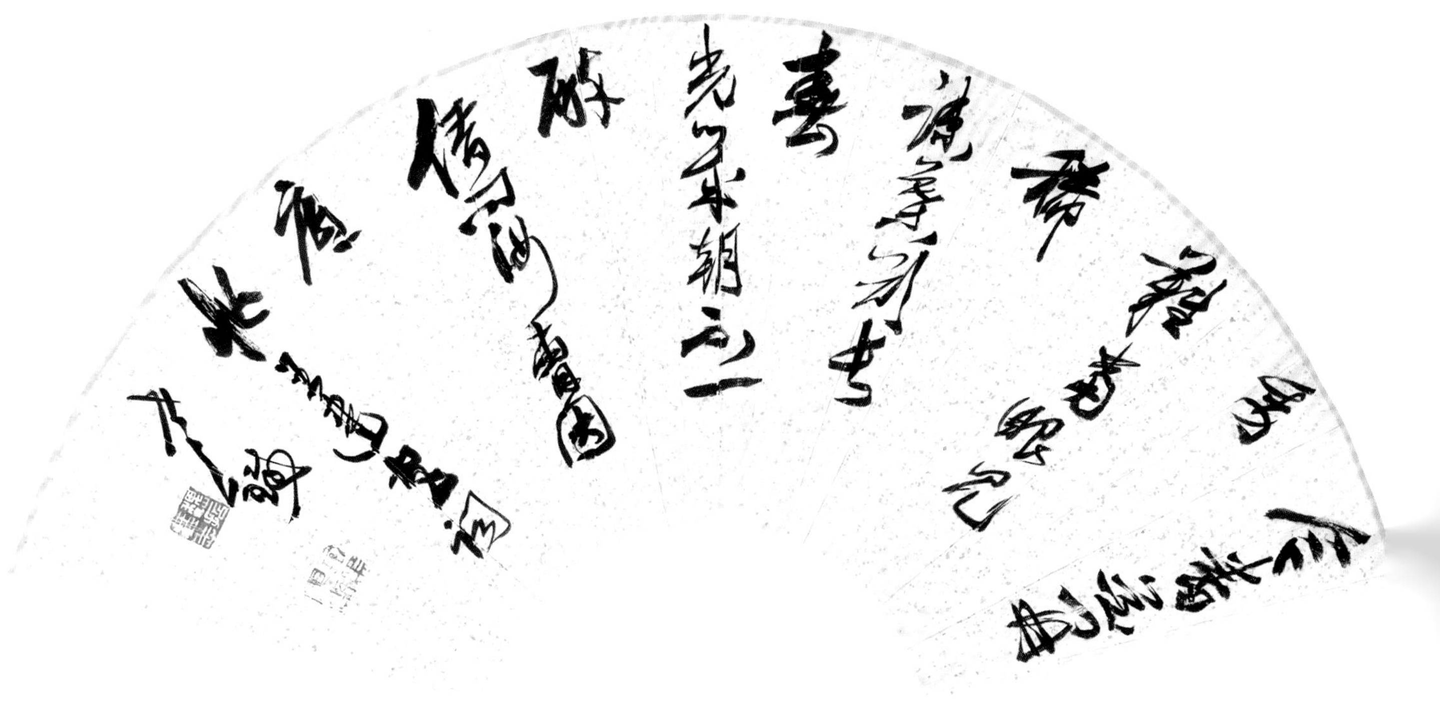

今番花开委难当，眼见稀疏叶欲长。
春光几朝不一醉，借问汝曹因底忙。

漠漠轻阴晚自开，青天白日映楼台。
曲江水满花千树，有底忙时不肯来。

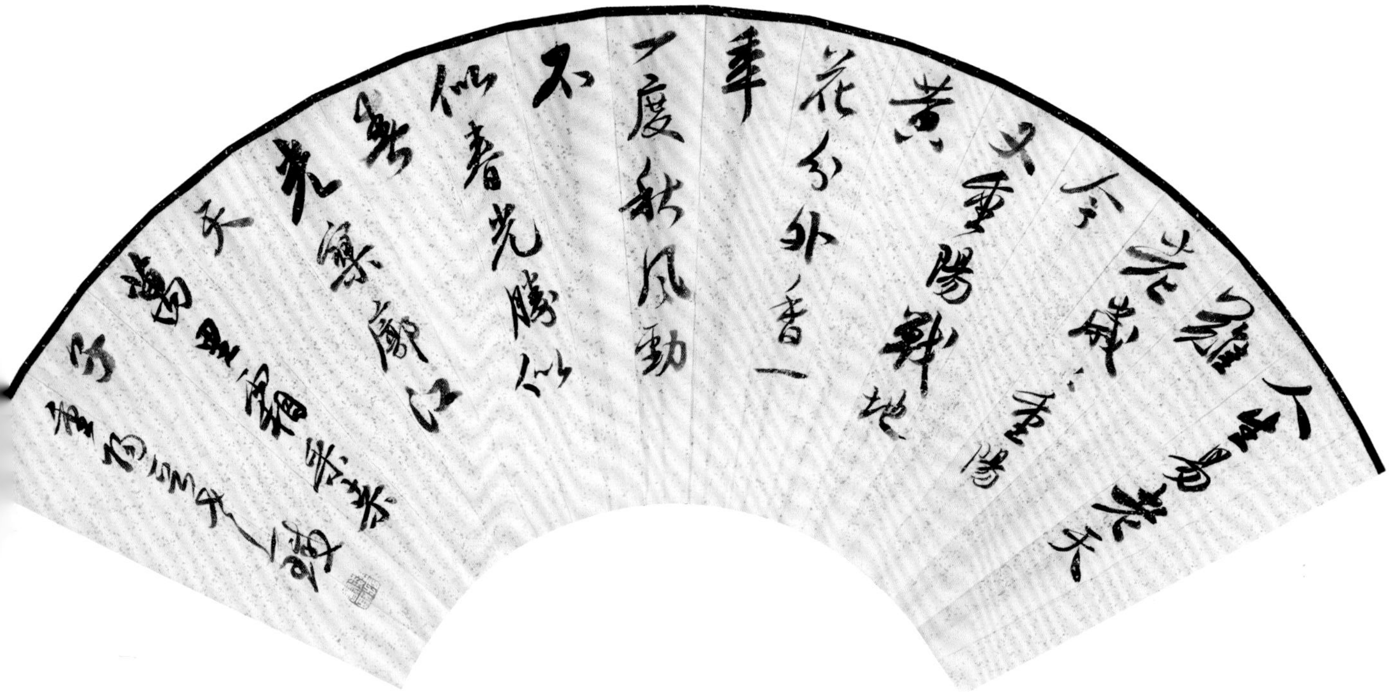

人生易老天难老，岁岁重阳，今又重阳，战地黄花分外香。
一年一度秋风劲，不似春光，胜似春光，寥廓江天万里霜。

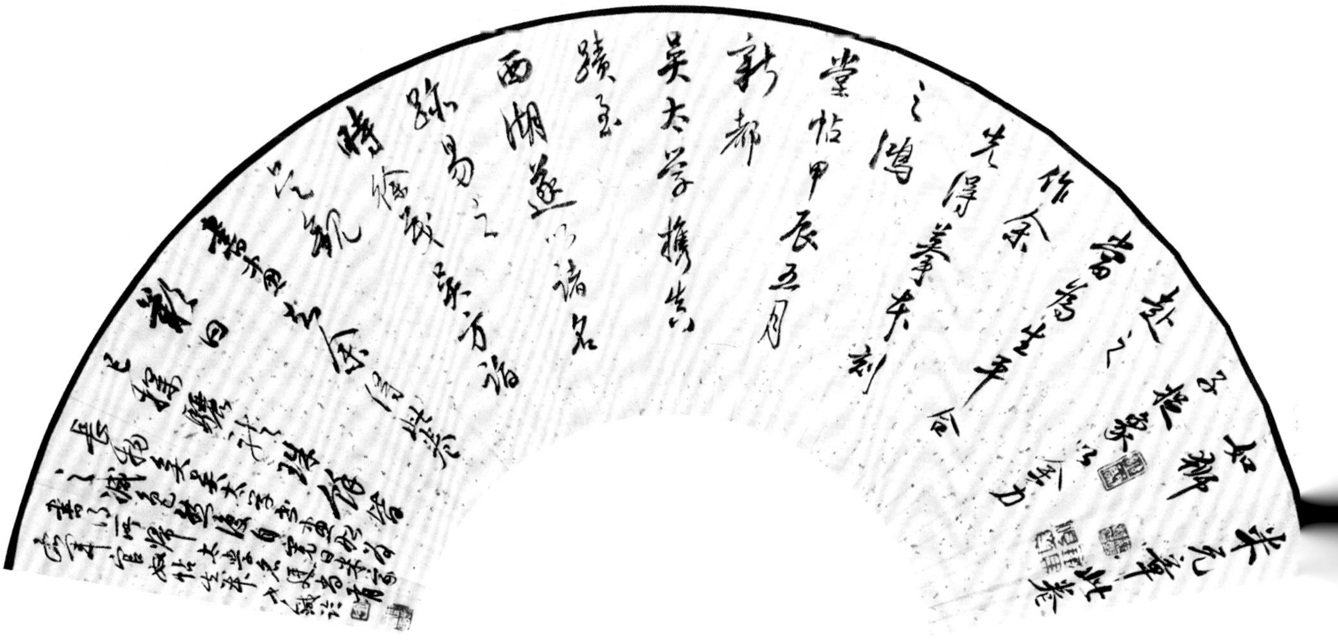

米元章此卷，如狮子捉象，以全力赴之，当为生平合作，余先得摹本，刻之鸿堂帖。甲辰五月，新都吴太学携真迹至西湖，遂以诸名迹易之，时徐茂、吴方诣吴观书画，知余得此卷，叹曰：已探骊龙珠，余皆长物矣，吴太学书画船为之减色，然复自宽日，米家书得所归，太学名廷尚有右军官奴帖真本。

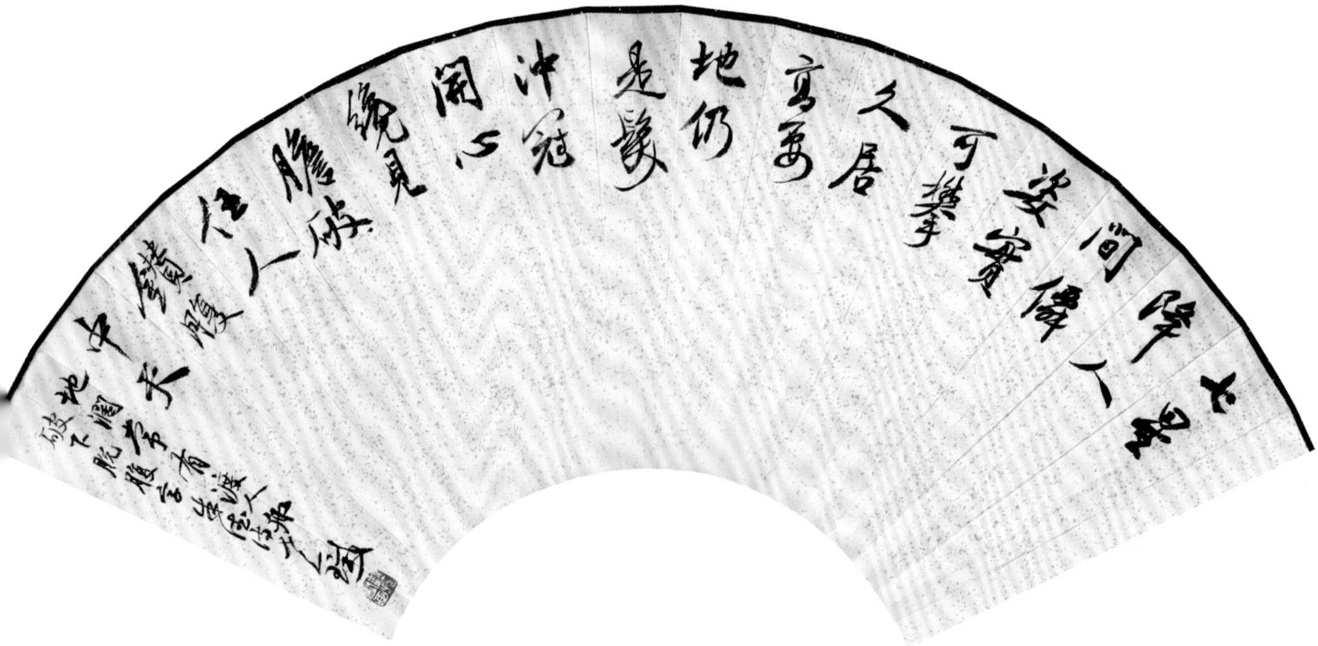

七星降人间，仙姿实可攀。
久居高要地，仍是发冲冠。
开心才见胆，破腹任人钻。
腹中天地阔，常有渡人船。

临苏东轼、米芾手札

一夜尋黄居寀龍不獲方
悟半月前是曹光州借去
摹搨更須一兩月方取得恐
王君疑是翻換且告子細説

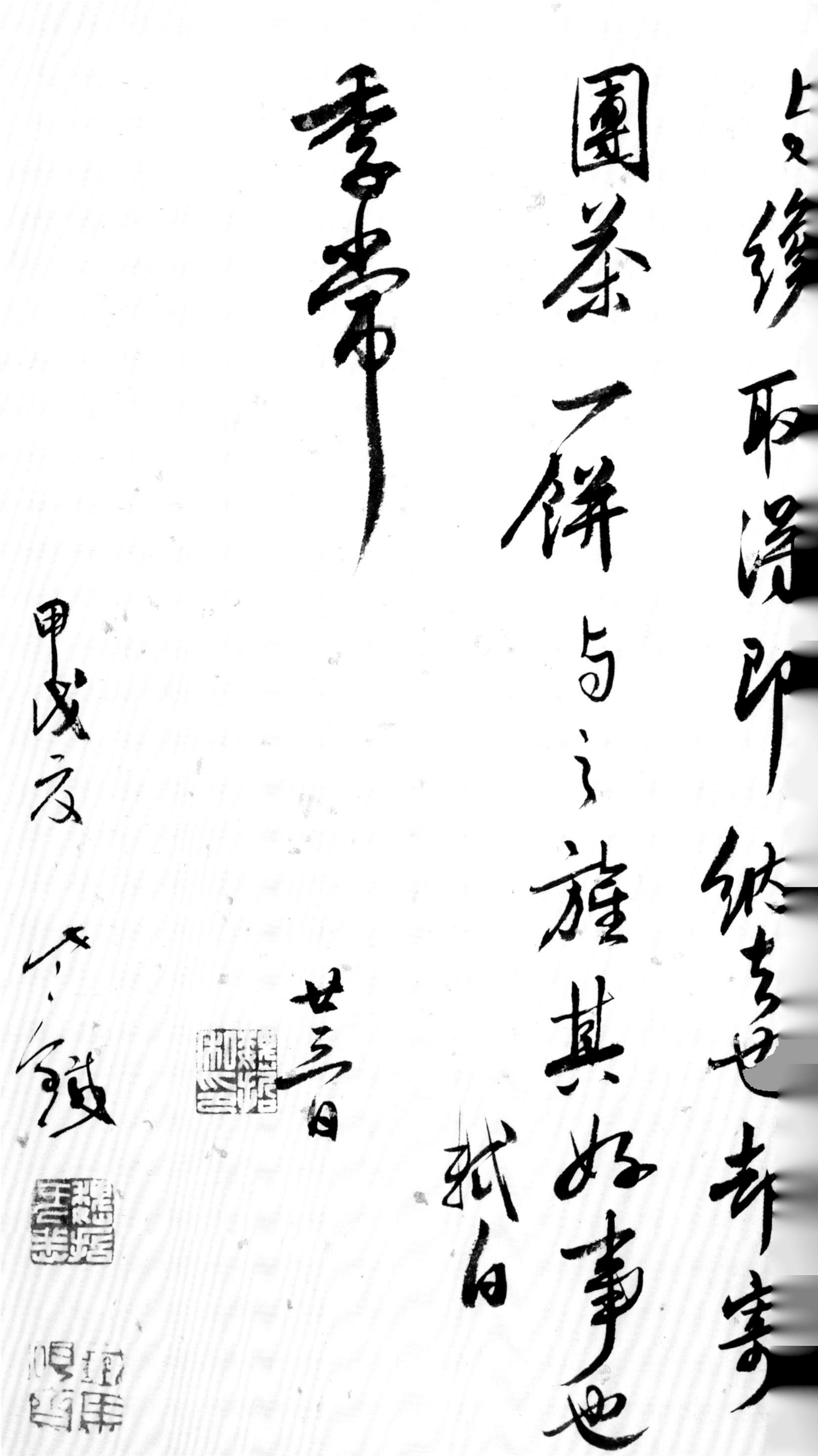

一夜寻黄居寀龙不获，方悟半月前是曹光州借去摹榻，更须一两月方取得。恐王君疑是翻悔，且告子细说与，才取得，即纳去也。却寄团茶一饼与之，旌其好事也。轼白，季常。廿三日。

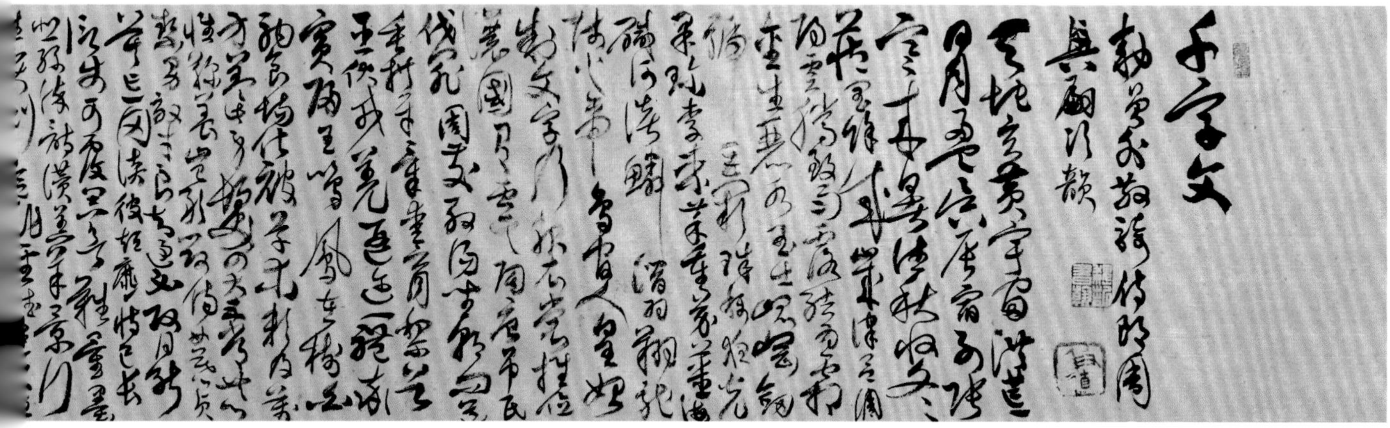
千字文

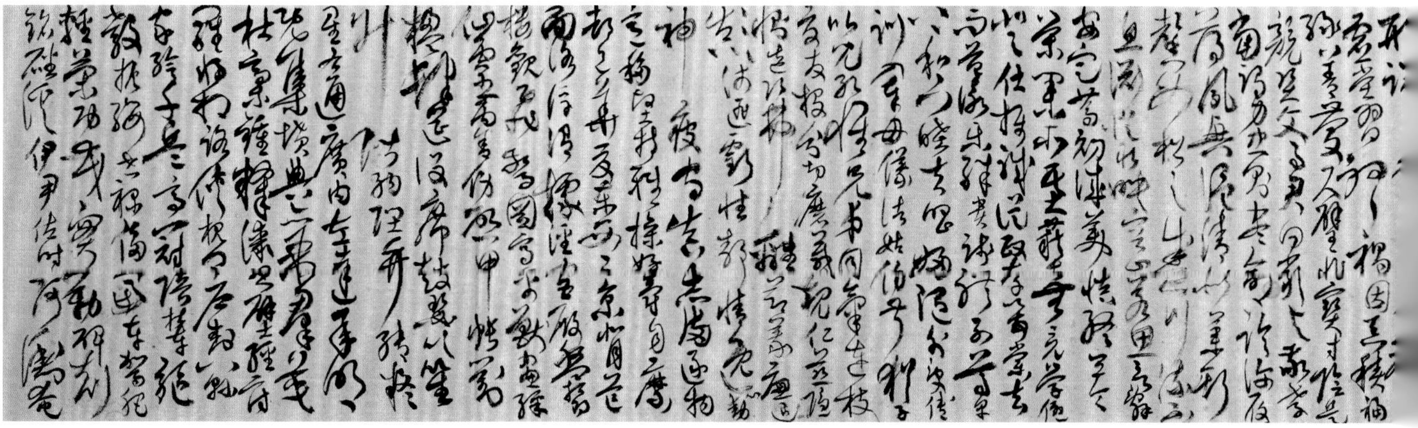

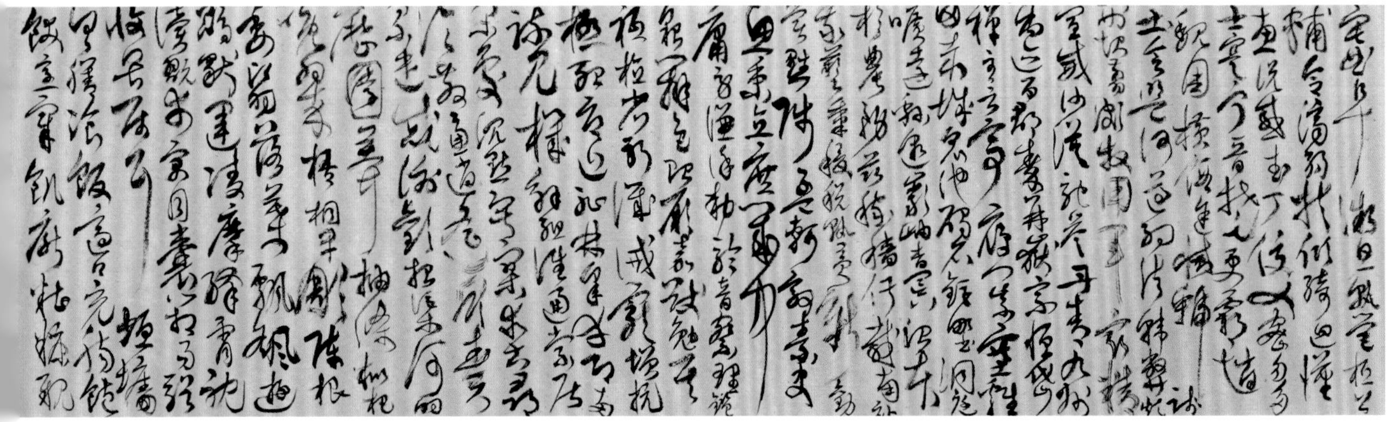

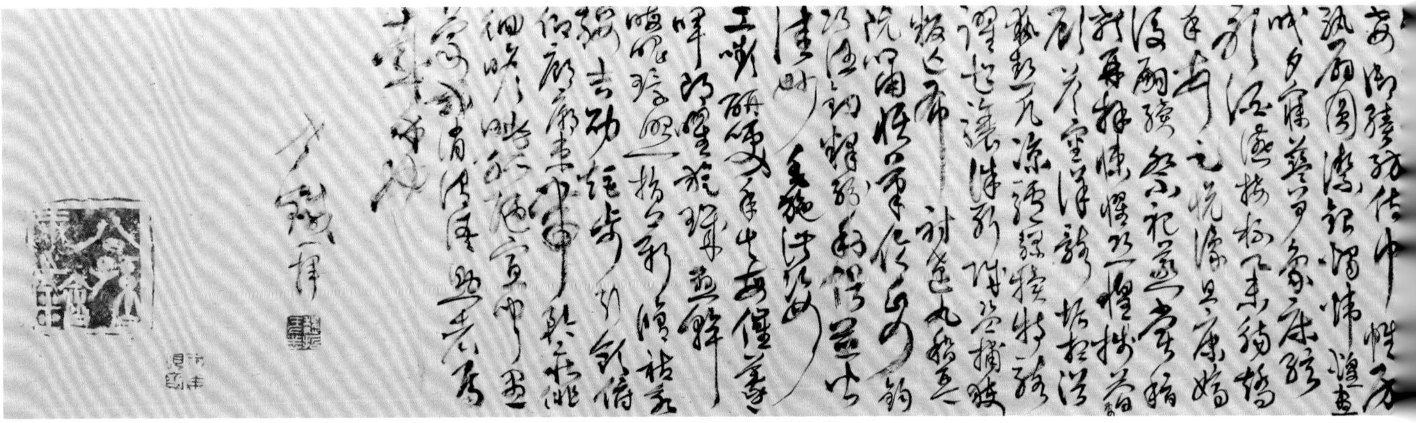

天地玄黄 宇宙洪荒 日月盈昃 辰宿列张 寒来暑往 秋收冬藏 闰馀成岁 律吕调阳 云腾致雨 露结为霜 金生丽水
玉出昆冈 剑号巨阙 珠称夜光 果珍李柰 菜重芥姜 海咸河淡 鳞潜羽翔 龙师火帝 鸟官人皇 始制文字 乃服衣裳
推位让国 有虞陶唐 吊民伐罪 周发殷汤 坐朝问道 垂拱平章 爱育黎首 臣伏戎羌 遐迩一体 率宾归王 鸣凤在竹
白驹食场 化被草木 赖及万方 盖此身发 四大五常 恭惟鞠养 岂敢毁伤 女慕贞洁 男效才良 知过必改 得能莫忘
罔谈彼短 靡恃己长 信使可复 器欲难量 墨悲丝染 诗赞羔羊 景行维贤 克念作圣 德建名立 形端表正 空谷传声
虚堂习听 祸因恶积 福缘善庆 尺璧非宝 寸阴是竞 资父事君 曰严与敬 孝当竭力 忠则尽命 临深履薄 夙兴温凊
似兰斯馨 如松之盛 川流不息 渊澄取映 容止若思 言辞安定 笃初诚美 慎终宜令 荣业所基 籍甚无竟 学优登仕
摄职从政 存以甘棠 去而益咏 乐殊贵贱 礼别尊卑 上和下睦 夫唱妇随 外受傅训 入奉母仪 诸姑伯叔 犹子比
孔怀兄弟 同气连枝 交友投分 切磨箴规 仁慈隐恻 造次弗离 节义廉退 颠沛匪亏 性静情逸 心动神疲 守真志满
逐物意移 坚持雅操 好爵自縻 都邑华夏 东西二京 背邙面洛 浮渭据泾 宫殿盘郁 楼观飞惊 图写禽兽 画彩仙
丙舍傍启 甲帐对楹 肆筵设席 鼓瑟吹笙 升阶纳陛 弁转疑星 右通广内 左达承明 既集坟典 亦聚群英 杜稿钟
漆书壁经 府罗将相 路侠槐卿 户封八县 家给千兵 高冠陪辇 驱毂振缨 世禄侈富 车驾肥轻 策功茂实 勒碑刻
磻溪伊尹 佐时阿衡 奄宅曲阜 微旦孰营 桓公匡合 济弱扶倾 绮回汉惠 说感武丁 俊乂密勿 多士寔宁 晋楚更
赵魏困横 假途灭虢 践土会盟 何遵约法 韩弊烦刑 起翦颇牧 用军最精 宣威沙漠 驰誉丹青 九州禹迹 百郡秦
岳宗泰岱 禅主云亭 雁门紫塞 鸡田赤城 昆池碣石 巨野洞庭 旷远绵邈 岩岫杳冥 治本于农 务资稼穑 俶载南
我艺黍稷 税熟贡新 劝赏黜陟 孟轲敦素 史鱼秉直 庶几中庸 劳谦谨敕 聆音察理 鉴貌辨色 贻厥嘉猷 勉其祗
省躬讥诫 宠增抗极 殆辱近耻 林皋幸即 两疏见机 解组谁逼 索居闲处 沉默寂寥 求古寻论 散虑逍遥 欣奏累
戚谢欢招 渠荷的历 园莽抽条 枇杷晚翠 梧桐蚤凋 陈根委翳 落叶飘摇 游鹍独运 凌摩绛霄 耽读玩市 寓目囊
易輶攸畏 属耳垣墙 具膳餐饭 适口充肠 饱饫烹宰 饥厌糟糠 亲戚故旧 老少异粮 妾御绩纺 侍巾帷房 纨扇圆
银烛炜煌 昼眠夕寐 蓝笋象床 弦歌酒宴 接杯举觞 矫手顿足 悦豫且康 嫡后嗣续 祭祀烝尝 稽颡再拜 悚惧恐
笺牒简要 顾答审详 骸垢想浴 执热愿凉 驴骡犊特 骇跃超骧 诛斩贼盗 捕获叛亡 布射僚丸 嵇琴阮啸 恬笔伦
钧巧任钓 释纷利俗 竝皆佳妙 毛施淑姿 工颦妍笑 年矢每催 曦晖朗曜 璇玑悬斡 晦魄环照 指薪修祜 永绥吉
矩步引领 俯仰廊庙 束带矜庄 徘徊瞻眺 孤陋寡闻 愚蒙等诮 谓语助者 焉哉乎也

天海来鸿

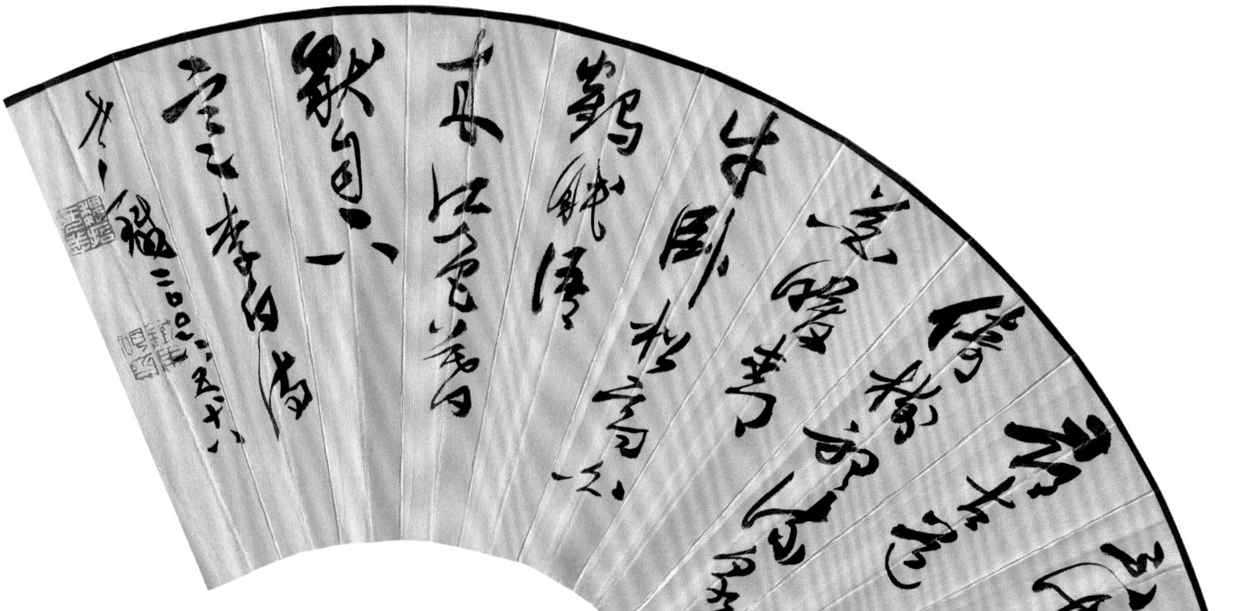

群峭碧摩天，逍遥不计年。拂（拨）云寻古道，倚树（石）听流泉。花暖青牛卧，松高白鹤眠。语来江色暮，独自下寒（烟）。

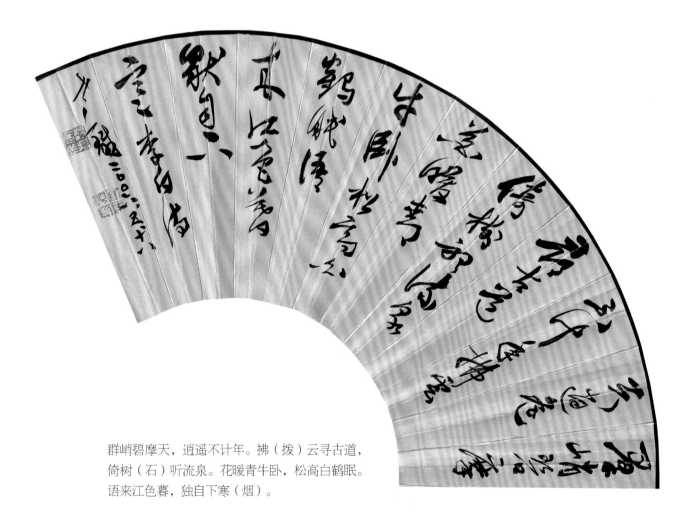

五原春色旧来迟，二月垂杨未挂丝。
即今河畔冰开日，正是长安落花时。

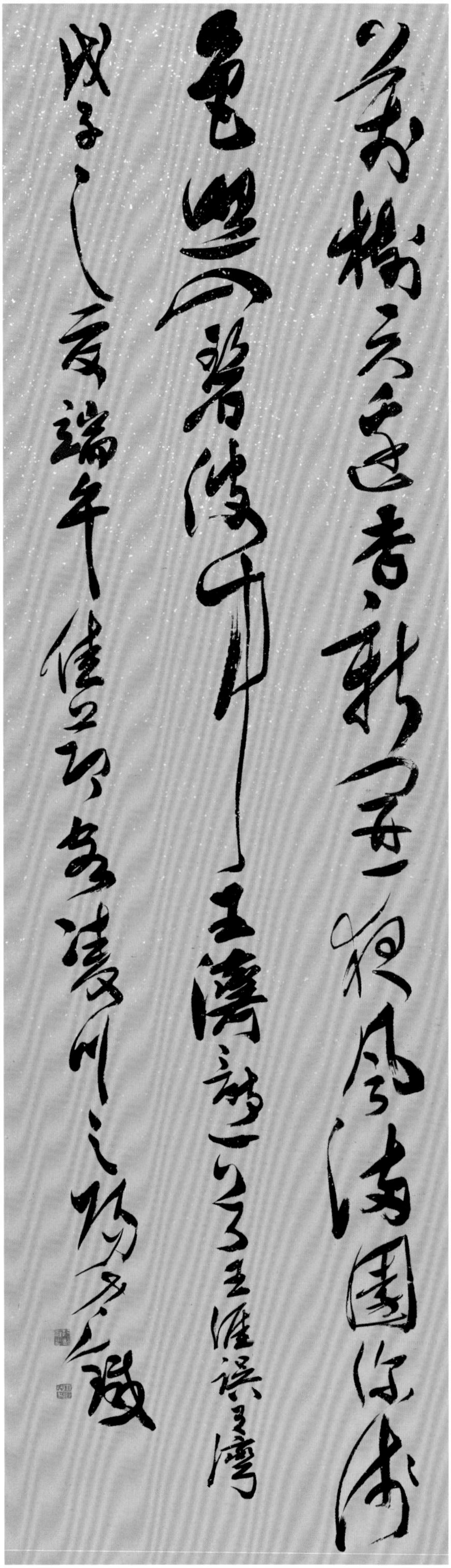

万树天边杏，新开一夜风。满园深浅色，照入（在）碧（绿）波中。

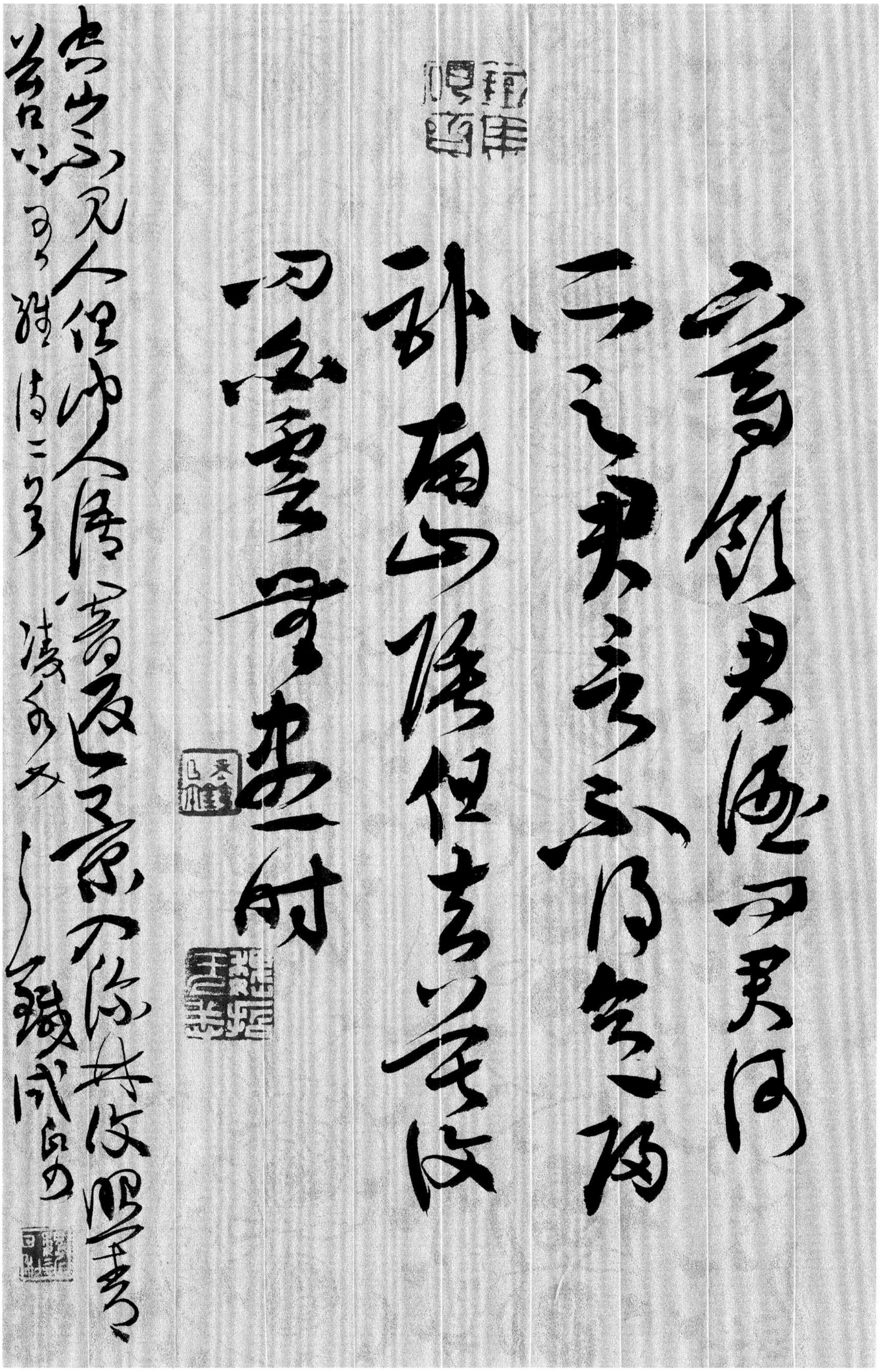

下马饮君酒，问君何所之。
君言不得意，归卧南山陲。
但去莫复问，白云无尽时。
空山不见人，但闻人语响。
返景入深林，复照青苔上。

右军大醉舞蒸豪，颠倒青蒿白锦袍。
满眼师宜欺老辈，遥遥何处落鸿毛。

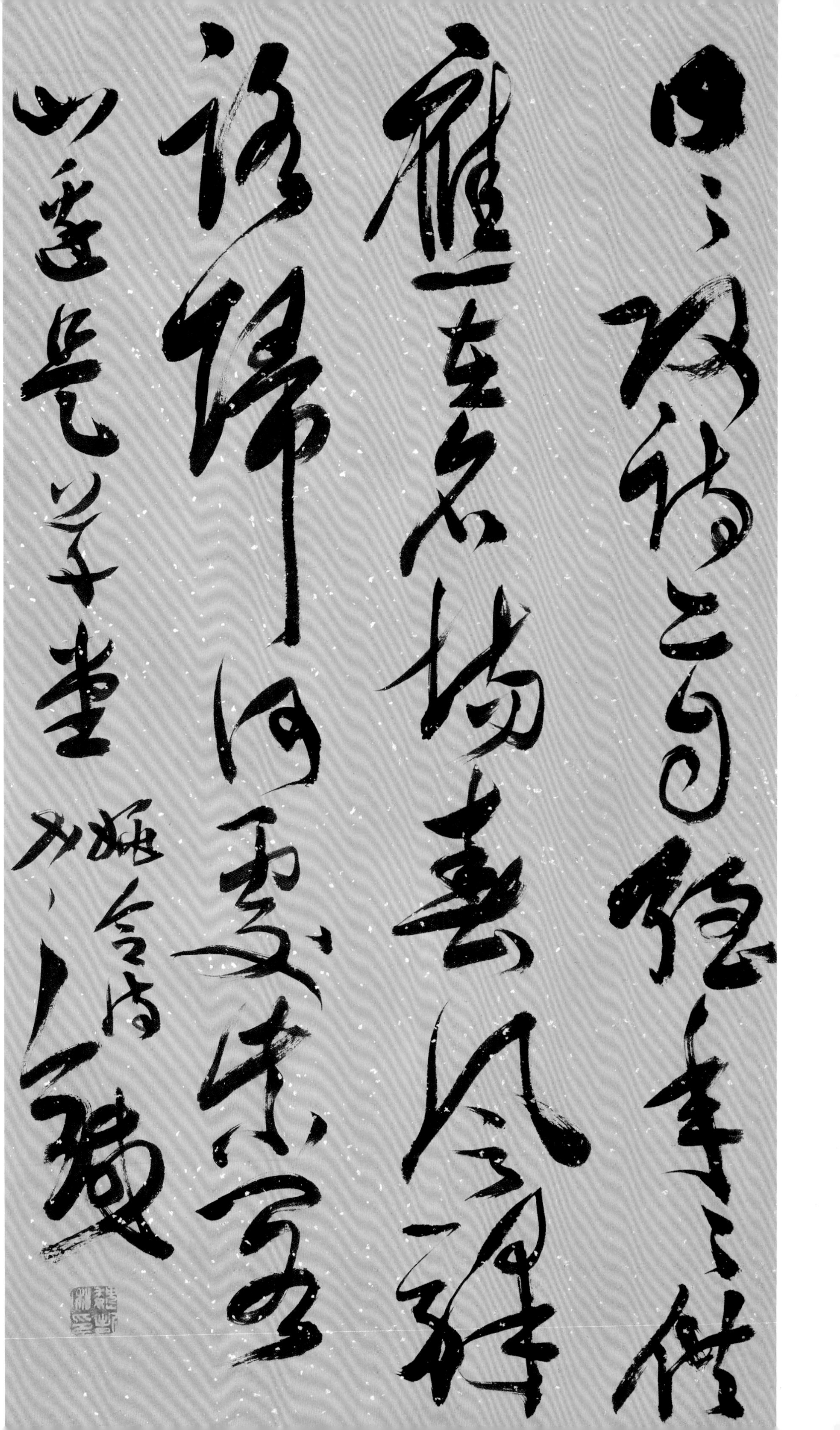

日日攻诗亦自强，年年供应在名场。
春风驿路归何处，紫阁山边是草堂。

去年今日此门中，人面桃花相映红。
人面不知何处去，桃花依旧笑春风。

大度高皇自有真，入关妇女几曾亲？虞歌声里天亡楚，毕竟倾城是美人。
马上琵琶出塞吟，和戎端的爱君深。当年若赂毛延寿，那得诗人说到今。
画松一似真松树，且待寻思记得无。曾在天台山上见，石桥南畔第三株。

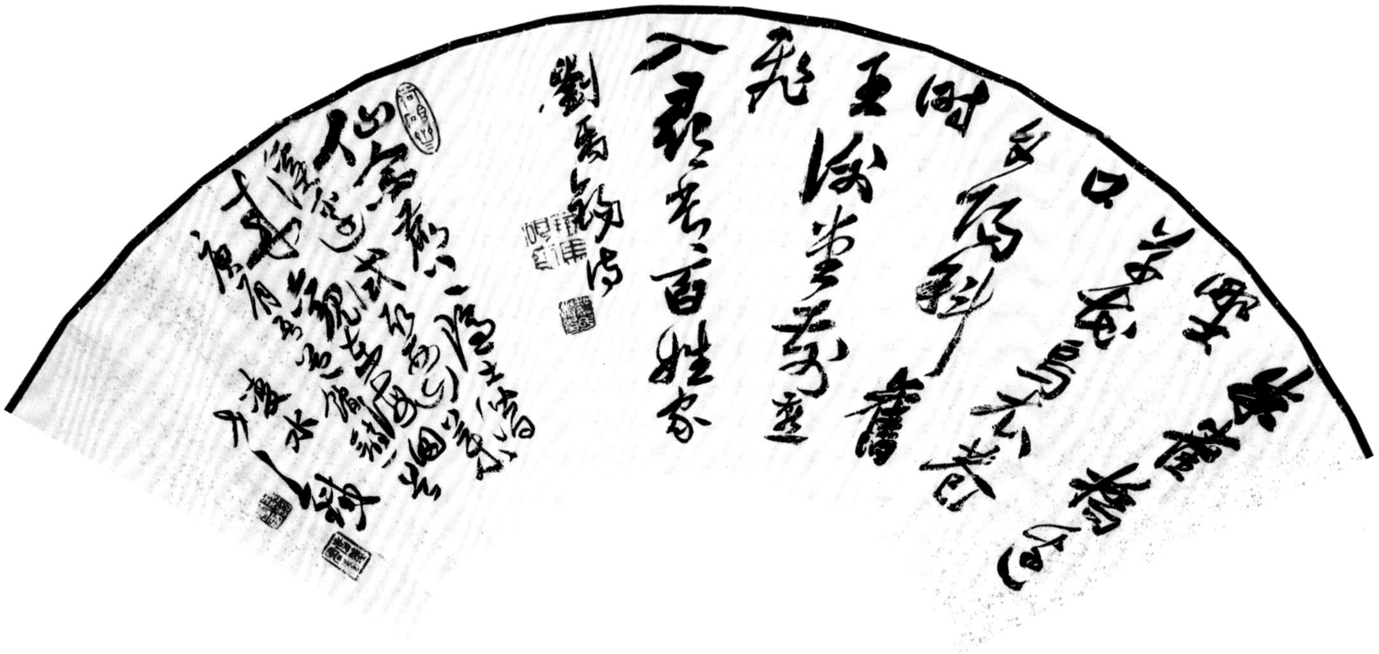

朱雀桥边野草花，乌衣巷口夕阳斜。旧时王谢堂前燕，飞入寻常百姓家。
仙人白鹿上，隐士潜溪边。试取西山药，来观东海田。

一夕九起嗟，梦短不到家。
两度长安陌，空将泪见花。

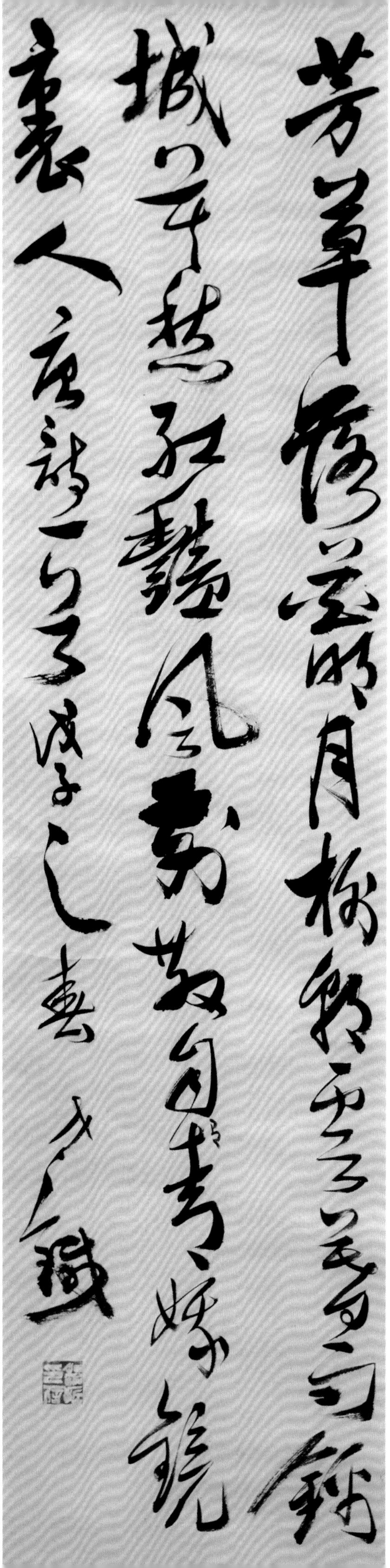

芳草落花明月榭，朝云暮雨锦城春。
莫愁红艳风前散，自有青娥镜里人。

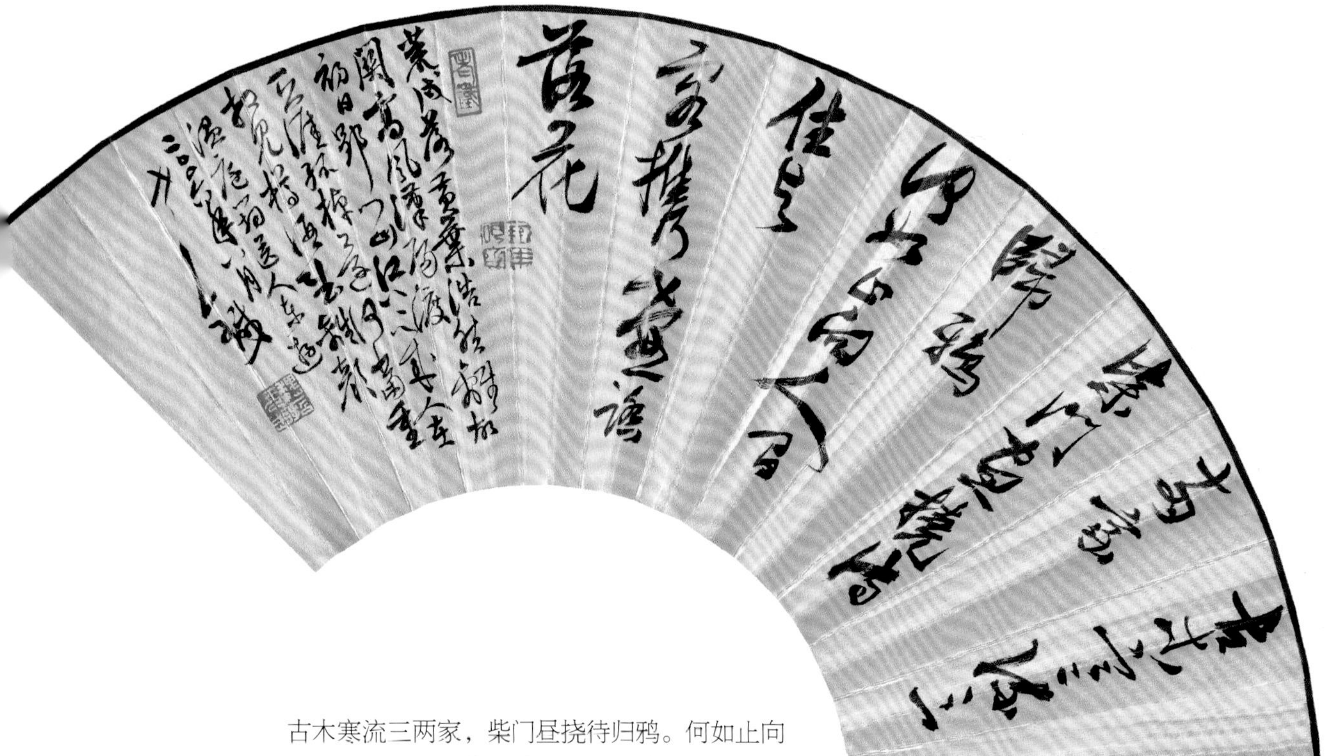

古木寒流三两家，柴门昼挠待归鸦。何如止向人间住，与客携壶踏落花。荒戍落黄叶，浩然离故关。高风汉阳渡，初日郢门山。江上几人在，天涯孤棹还。何当重相见，樽酒慰离颜。

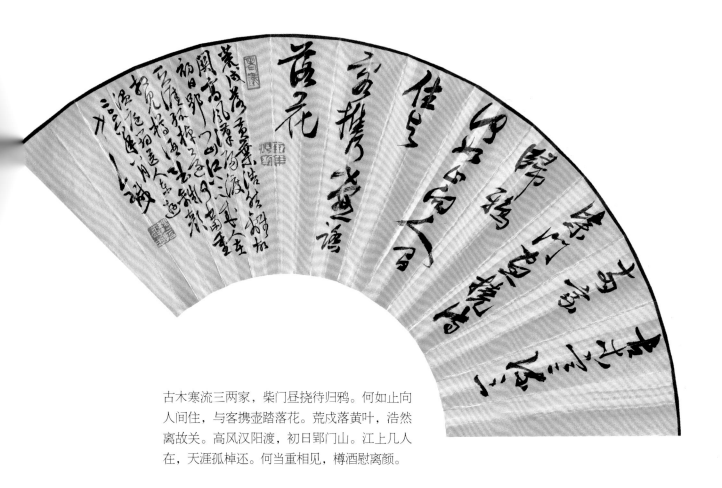

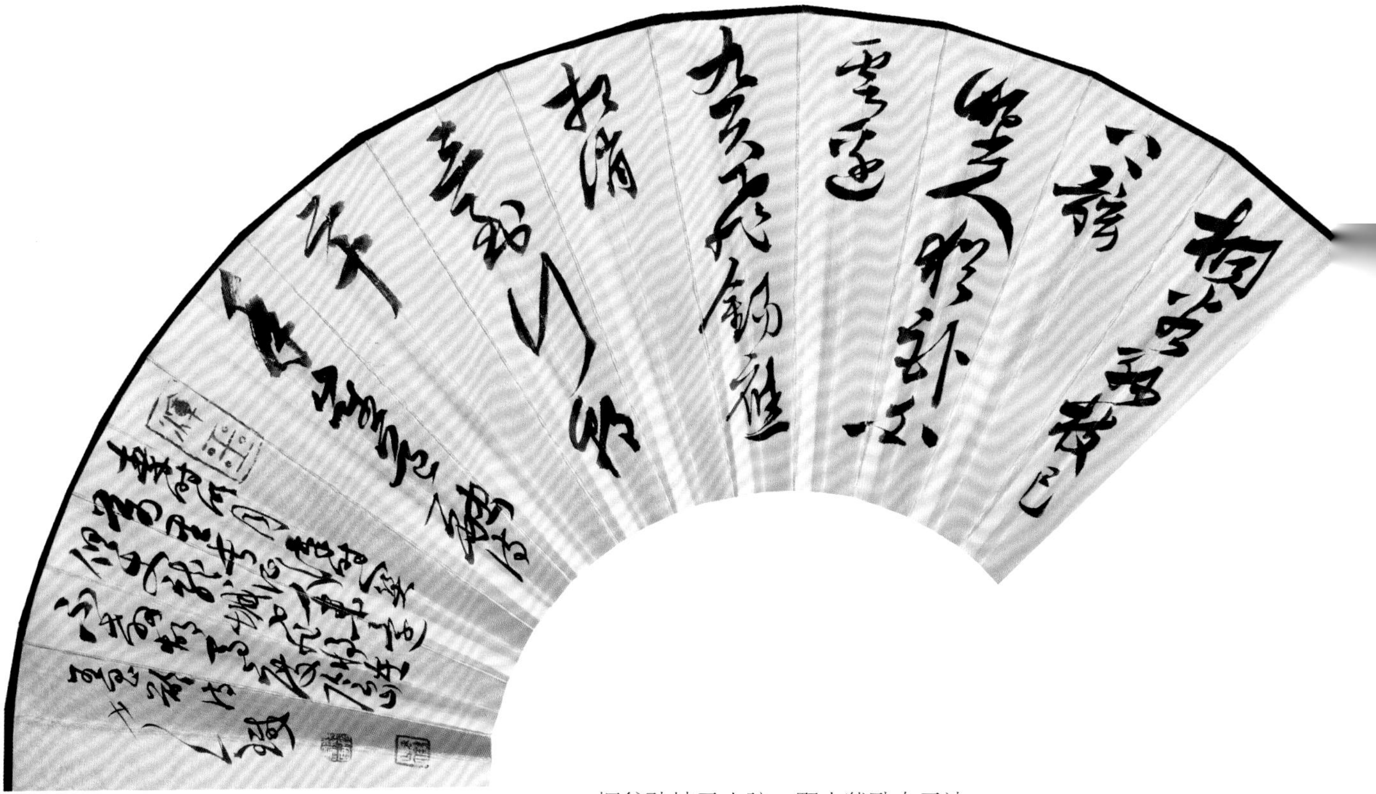

桐谷孙枝已上弦，野人犹卧白云边。
九天飞锡应相诮，三到行朝二十年。

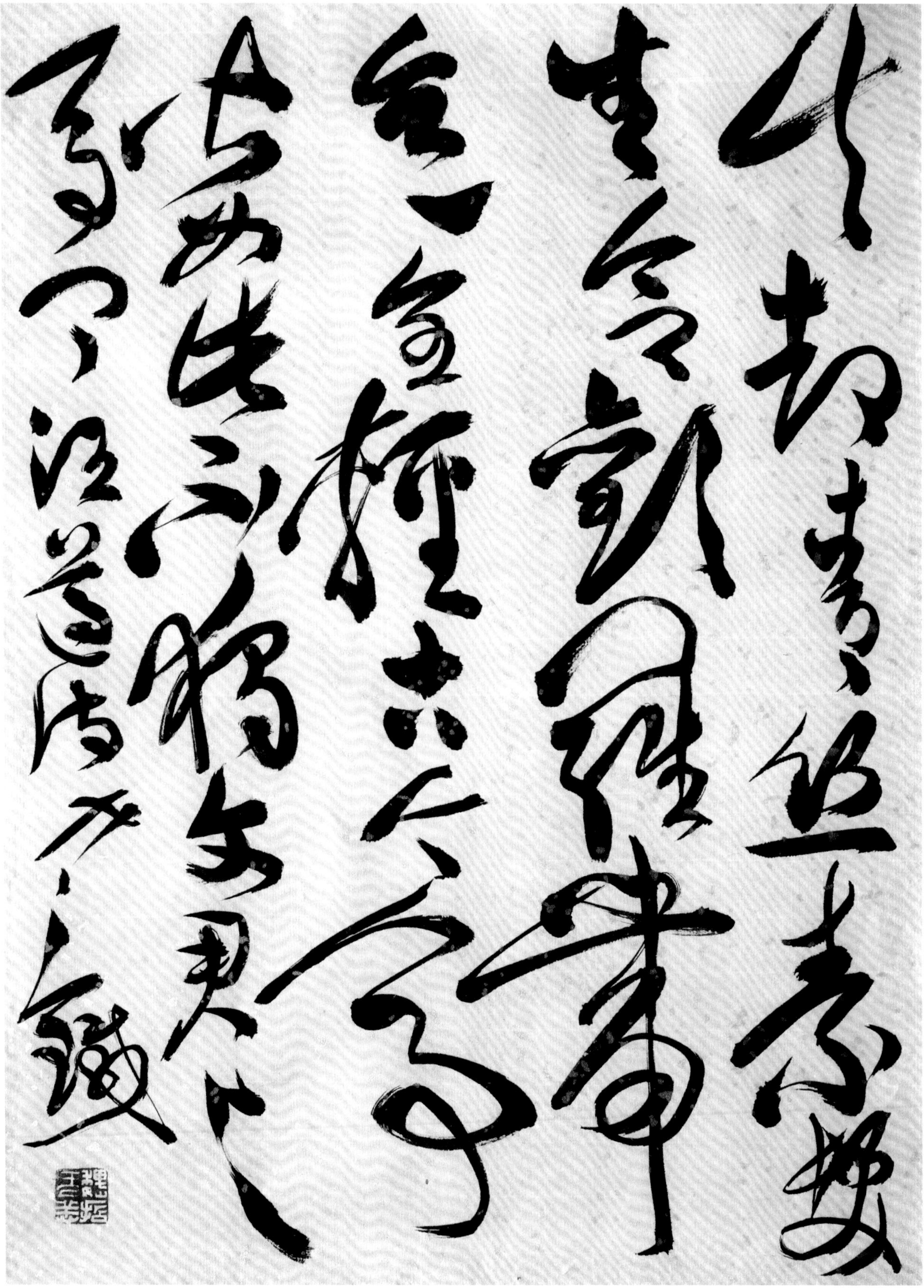

失却青丝素发生，合欢罗带意全轻。
古今人事皆如此，[illegible]

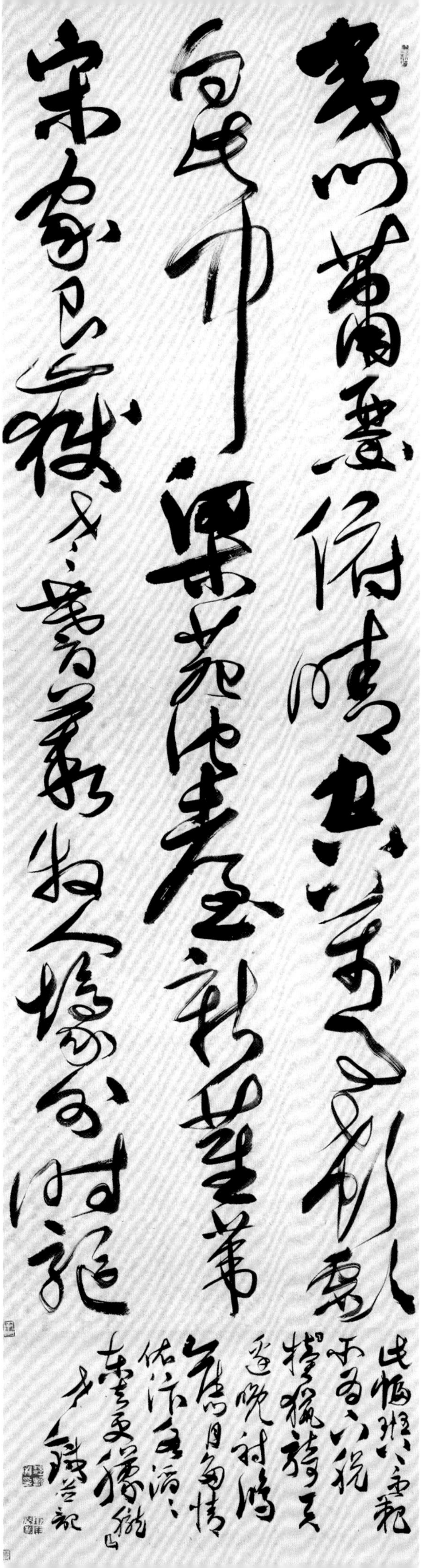

夷门萧瑟俯晴空，万事欷歔向此中。梁苑池台新萑苇，宋家艮岳老蓍丛。牧人壕外时驱（此幅班上示范所为，下脱：）犊。猎骑天边晚射鸿。旧月多情依汴水，滔滔东去更朦胧。

王昌家直在城东，落尽林（庭）花昨夜风。
多（高）兴不辞千日醉，随君走马向新丰。

天海相连无尽处，梦魂来往尚应难。谁言南海无霜雪，试向愁人两鬓看。
江汉曾为客，相逢每醉还。浮云一别后，流水十年间。欢笑情如旧，萧疏鬓已斑。
何因不归去，淮上有秋山。
怀君属秋夜，散步咏凉天。空山松子落，幽人应未眠。

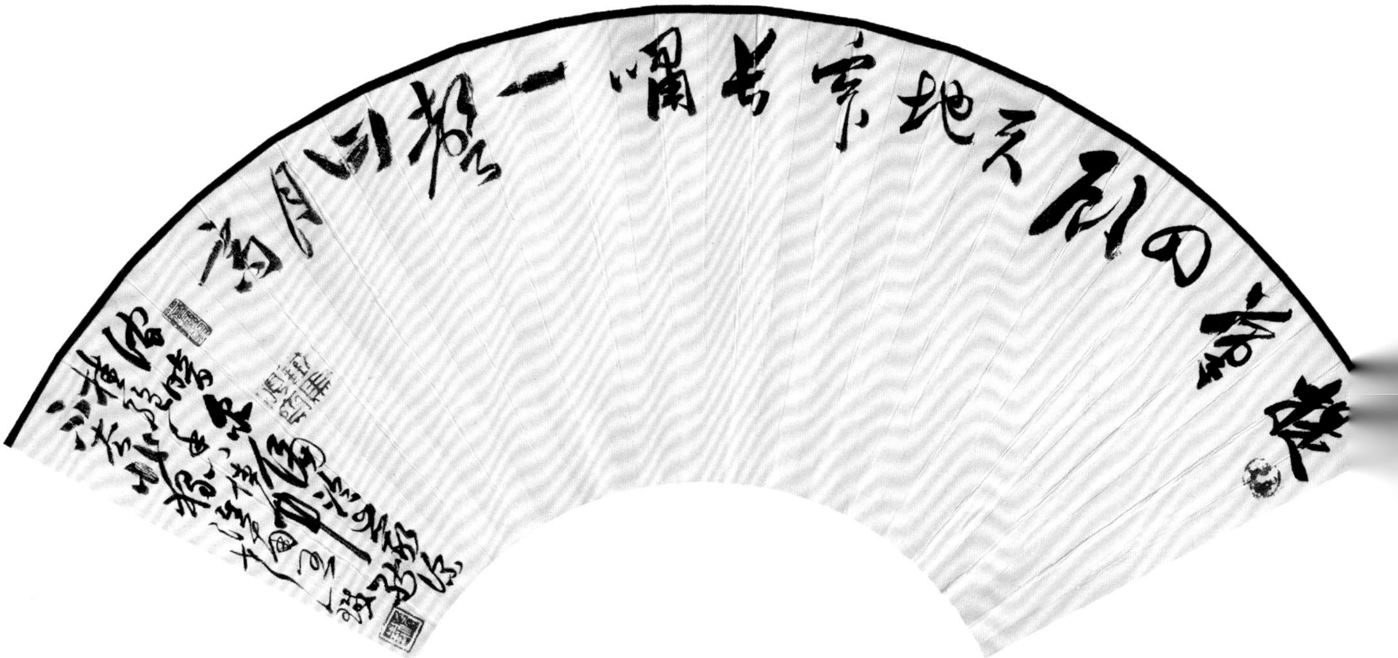

提笔四顾天地窄，长啸一声山月高。
涧暗泉偏冷，岩深桂绝香。
住中能不去，非独淮南王。

虛近名指僅也伯英
翔那蹤之剛通披
老之筆墨深治
詞之美何漢為於人之

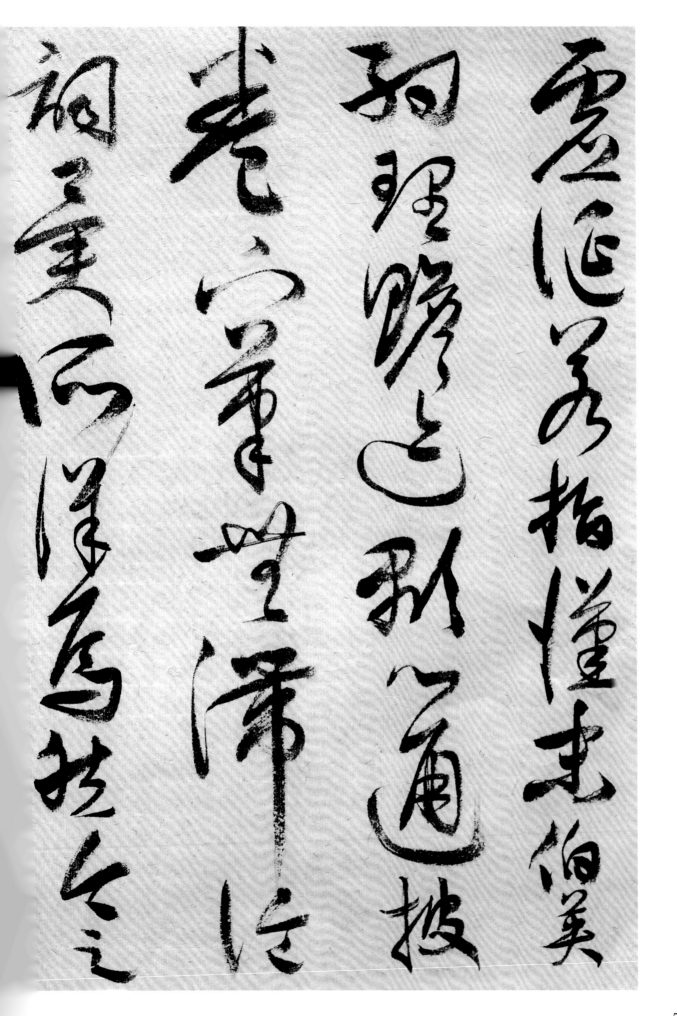

虚诞若指汉末伯英约理赡，迹显心通，披卷下笔无滞，诡词异所详焉。然今之所陈务者，但右军之书，代多称习，良可据为宗匠，取立指归岂嘱。

草书速写

魏 哲

在书法艺术创作上能自觉地探索书风是一种境界。那么这种探索不是停留在思想上，而是通过笔法、结体及章法融入到作品里，形成一种新的自我艺术风貌，那就是一种至高层次的境界。

能进入这种境界，最易体现这种精神的便是草书。尤其是狂草，更是书法皇冠上最为璀璨的明珠。那种癫狂似的宣泄，那种无序状态中的有序，那种极尽变化中的合理。那才是『指哪打哪』，而不是『任笔为体』『打哪指哪』。在这一点上，狂草与速写有相通之处。我曾在我的速写集前言中写道：『收集素材，记录形象，是通常对速写的理解。我画速写除这「通常」之外，更是为了我的草书创作。草书，尤其是狂草，「忽然绝叫三五声，满壁纵横千万字……」是心手合一，稳、准、快的集中体现。是刹那的全部，瞬间的一切。而速写，恰恰练的就是这种功力。速写与草书创作有异曲同工之妙』。

我爱速写，我更爱狂草。

四十年来的日常生活中，我速写本不离身，一有感觉便掏出来画两笔。我一直把它当作我的口课。速写蒙发了我的笔性，训练了我的手、眼、心的协调能力。闲暇时翻拣速写本，每每徜徉在往事的回忆里，沉浸在现场的快乐中……

草书与速写这两个孪生兄弟将永远是我的最爱。